EILANDEN

DE PROFETIE

LUC DESCAMPS & TIMO DESCAMPS

Eilanden – De profetie
Luc Descamps
Timo Descamps

Vanaf 14 jaar

©2014, Abimo uitgeverij, een uitgeefunit van Pelckmans Uitgeverij nv.
Bezoekadres Abimo: Europark Zuid 9 – 9100 Sint-Niklaas
Maatschappelijke zetel: Pelckmans Uitgeverij nv,
                                    Brasschaatsteenweg 308 – 2920 Kalmthout

Omslag: Abimo Uitgeverij
Redactie: Anneriek van Heugten

Tweede druk: januari 2014

D/2013/6699/97
ISBN 9789462340398
NUR 284

www.lucdescamps.be
www.timodescamps.be
www.abimo.net

 Abimo Jeugd

EILANDEN

— DE PROFETIE —

Timo Descamps
Luc Descamps

TWAALF DRIJVENDE LANDEN
TWAALF DELEN VAN ÉÉN
TWAALF STRALEN DIE BRANDEN
EEN EEUWIGHEID ALLEEN

DE WERELD ZAL WEER BEVEN
GEDULD EN MOED BELOOND
HET LICHT ZORGT VOOR HERLEVEN
VAN WAT OOIT WERD ONTTROOND

BLIJF HET LICHT STEEDS VOEDEN
DE BAKENSTRAAL TREKT AAN
DE STRIJD OM LAND ZAL WOEDEN
DE KROONPRINS KOMT ERAAN

PROLOOG

'Majesteit, u moet hier weg!'
Kirsha, de eerste hofdame, stond naast het bed van koningin Leila en schudde haar bij de schouder, ook al overtrad ze daarmee alle wetten van het protocol. Koningin Leila opende geschrokken haar ogen en terwijl ze de slaap uit haar ogen wreef, staarde ze haar hofdame verbaasd aan. De angst die het meisje uitstraalde, sloeg meteen op haar over.

'Wat is er? Wat is er aan de hand?'

De tranen stroomden over Kirsha's wangen, maar ze wist niet hoe ze het nieuws voorzichtig moest brengen.

'De koning is dood,' snikte ze.

'Wat?'

Leila keek haar hofdame ongelovig aan. Wat ze zei, leek niet helemaal tot haar door te dringen.

'Koning Zenerius, uw gemaal, hij is vermoord, majesteit. Ze zijn in het kasteel.'

'Kirsha, waar heb je het in hemelsnaam over? Wie is er in het kasteel?'

'De Skyrth,' zei een donkere mannenstem achter Kirsha.

Leila, die overeind was komen zitten, trok ontsteld haar deken tot aan haar kin.

'Wie ben jij? Wat doe je in de slaapvertrekken van je koningin?' Ze probeerde autoriteit in haar stem te laten doorklinken, ook al voelde ze haar hart samenkrimpen.

De man kwam naar voren en het maanlicht viel op zijn gezicht. Hij droeg een donkere kap over zijn hoofd en hij had een stoppelbaard.

'Ik ben Bryanth, een vertrouweling van uw gemaal de koning, majesteit. De Skyrth heeft een aanval ingezet op het paleis. Enkele leden hebben de koning gedood.'

Nu pas besefte Leila dat de nachtelijke stilte verstoord werd door wapengekletter en heen-en-weergeroep in de verte.

'Het zal niet lang duren voor ze ook deze vleugel binnendringen, majesteit. Op dit moment wordt de hele vleugel van de koning onder de voet gelopen. De wacht biedt weerstand, maar de leden van de Skyrth zijn te talrijk. Ze zullen ook de troonopvolger uit de weg willen ruimen. U moet meekomen. We moeten u in veiligheid brengen.'

'Laat me u helpen, majesteit,' zei Kirsha. 'U moet iets aantrekken.'

Bryanth draaide zich om en ging bij de deur staan, met de rug naar zijn koningin toe, zodat ze zich kon aankleden. Kirsha hielp haar meesteres uit het bed. De koningin legde haar hand in een beschermend gebaar op haar hoogzwangere buik. Met hulp van Kirsha trok ze een eenvoudige reisjurk aan en hing een mantel over haar schouders. Toen duwde Kirsha haar koningin bijna naar de deur toe. Ze liepen achter Bryanth de gang in.

'Brinthe is naar de keuken om proviand,' zei Kirsha gejaagd.

Leila wilde om uitleg vragen, maar Kirsha trok haar zonder veel plichtplegingen met zich mee. Het geluid van hun voetstappen werd overstemd door het steeds dichterbij komende wapengekletter.

Meer dan Leila kende Kirsha het kasteel op haar duimpje, en haar koningin achter zich aan slepend rende ze door de gangen in de bediendevleugel, de paniekerige vragen negerend van andere bedienden die ook gewekt waren door het rumoer. Bryanth liep met getrokken zwaard naast hen, klaar om iedereen die hun de weg versperde aan zijn zwaard te rijgen. Ze liepen langs de keuken, waar Brinthe, de andere hofdame, met een barstensvolle zak over haar schouder op hen stond te wachten. Gehaast liepen ze naar buiten. De hele binnenplaats stond in rep en roer.

'De doorgang is versperd,' zei Bryanth. 'Via de poort komen we er nooit door.'

'Hierheen,' hijgde Kirsha.

Ze schoten weg tussen de stallingen. Daarachter was een klein deurtje dat doorgang gaf naar de boomgaard achter het paleis. De deur was afgesloten met een zware dwarsbalk.

'Laat mij,' zei Bryanth.

Met het gevest van zijn zwaard sloeg hij de balk los en tilde hem uit de metalen hengsels. Hij trok het deurtje open en leidde de koningin en haar twee hofdames naar buiten. De vier vluchtende figuren werden opgeslokt door de donkere boomgaard.

Bij de haven was het nog betrekkelijk rustig, maar lang zou dat niet meer duren. Als de indringers merkten dat de koningin niet in het kasteel was, zouden ze elke steen van de stad ondersteboven keren tot ze haar vonden.

'Het koninklijke schip is te groot,' zei Bryanth. 'Dat kunnen wij niet alleen besturen.'

Als een schichtig dier keek hij om zich heen en wees toen naar een sloep met een zeil.

'Die daar!' zei hij.

Hij rende naar het bootje en sprong meteen aan boord. Haastig hees hij het zeil. Brinthe kwam aan boord en legde de zak met waterkruiken en voedsel in de uitsparing bij de voorsteven.

'Waar gaan we naartoe?' vroeg Leila. Ze had nog altijd moeite om de gebeurtenissen tot zich door te laten dringen.

'Weg van het eiland,' hijgde Kirsha. 'Ze zullen niet rusten voor ze u vinden, majesteit. De Skyrth wil de bloedlijn uitroeien.'

'Is Zenerius… is de koning echt dood?' vroeg Leila.

'Majesteit.' Bryanth stond nu naast haar. 'U moet aan boord gaan.'

Hij hielp Leila aan boord en vroeg haar op de bodem te gaan liggen.

'Vergeef me, majesteit,' zei hij, terwijl hij een zeildoek boven op haar legde.

De sterke wind zette het zeil bol en het bootje trok aan het touw waarmee het aan de meerpaal was vastgemaakt, alsof het niet kon wachten om weg te varen.

'Ze komen eraan,' siste Kirsha.

'Het bootje is te klein voor vier,' zei Brinthe in paniek.

'Halt! Blijf staan! Wat doen jullie daar?' klonk het ineens.

Zes gewapende mannen kwamen op hen af.

'Ga met de koningin mee, Brinthe!' riep Kirsha. 'Ik ren weg. Misschien kan ik hen zo afleiden!'

Kirsha wachtte niet op goedkeuring en zette het op een lopen.

'Maak het touw los! Ik hou hen tegen,' riep Bryanth.

Hij trok een kleine koker van onder zijn wambuis en legde die snel naast de koningin onder het zeildoek, voor hij de kade op sprong. Brinthe liep naar de meerpaal en probeerde het touw los te maken, maar door de wind stond het te strak.

'Ik heb te weinig kracht,' riep ze in paniek. 'Ik krijg het niet los!'

Twee mannen liepen achter Kirsha aan, die verdween in de nacht. De vier anderen waren op een paar passen van Bryanth verwijderd. Bryanth trok een dolk en wierp hem naar Brinthe.

'Gebruik deze. Snij het touw door, snel!'

Brinthe pakte het mes op en begon koortsachtig te snijden. De eerste aanvaller had Bryanth bereikt en haalde woest uit. Bryanth pareerde de slag en trapte de man in zijn kruis. Die viel kermend op zijn knieën en daarvan maakte Bryanth gebruik om hem zijn zwaard in de nek te steken. Hij trok het zwaard snel uit het dode lichaam en zette zich schrap om de drie andere aanvallers op te vangen. Twee vielen hem tegelijk aan en hij kon ternauwernood een dodelijke steek ontwijken, terwijl hij het andere zwaard pareerde. Hij kon niet vermijden dat de derde langs hem op Brinthe af liep. Net op dat moment knapte het touw. Brinthe wilde aan boord springen, maar de man was al bij haar en stak zonder aarzeling zijn zwaard diep in haar buik. Brinthe maakte een reutelend geluid en stierf rechtopstaand, gespietst aan het zwaard, terwijl het bootje langzaam wegdreef.

'Die boot!' riep de man.

Zijn schreeuw leidde zijn twee kompanen een ogenblik af, lang genoeg voor Bryanth om zijn zwaard in de keel van een van hen te steken. De ander sloeg toe voor hij zijn zwaard weer kon heffen. Bryanth probeerde weg te duiken, maar de zwaardhouw trof hem vol in de schouder, waardoor zijn arm bijna van zijn lichaam werd gescheiden. In een reflex stak Bryanth zijn aanvaller in de buik en een tel later stroomde een gulp bloed uit diens mond. Wankelend wilde Bryanth zich omdraaien naar de laatste tegenstander, maar voor hij dat kon doen, voelde hij een stekende pijn in zijn rug. Toen het zwaard werd teruggetrokken, zakte Bryanth op zijn knieën, maar hij loste zijn zwaard niet. Hij moest de vlucht van zijn koningin dekken. Niemand mocht weten dat ze in dat bootje zat. Hij moest zijn tegenstander doden. Bryanth hapte naar adem en zag hoe de gestalte hoog boven hem uittorende.

'Iets te verbergen in dat bootje?' vroeg de man met een venijnige trek om zijn mond. 'Dat hebben we zo ingehaald… Niet dat jij dat nog zult meemaken,' voegde hij er smalend aan toe.

Hij dreef het vlijmscherpe zwaard in de buik van Bryanth, die onmiddellijk bloed in zijn keel voelde opborrelen. De man zette zijn voet op Bryanth om zijn zwaard terug te trekken, genietend van de doodsstrijd van zijn slachtoffer. Met een bovenmenselijke inspanning hief Bryanth zijn zwaard een laatste keer. Het lemmet drong diep in de ingewanden van zijn tegenstander, die zieltogend neerviel. Hevig bloedend keek Bryanth naar het steeds verder wegdrijvende bootje.

'Behouden vaart, mijn koningin,' fluisterde hij.

Toen gaf hij bloed op en viel voorover. Hij was dood voor hij de grond raakte.

HET WATER GELEIDT
WAT OOIT WERD VERDEELD
VOERT MEE MET DE TIJD
DE KRACHT DIE WEER HEELT

1.

Thom rommelde zenuwachtig in de kist. De schamele kleren die hij bezat wierp hij achteloos op de grond. Hij moest dat ding toch ergens hebben gelaten? Alle dorpelingen waren al vertrokken, maar hij had veel te lang bij de grotten rondgehangen. En nu vond hij zijn sarong niet. Zonder het rituele kledingstuk kon hij op de viering niets uitrichten. Een krachtige vloek ontsnapte aan zijn lippen toen hij het laatste kledingstuk uit de kist haalde. Gefrustreerd propte hij het hemd tot een bal en smeet het de hut door.

'Is er iemand zenuwachtig aan het worden?'

Thom schrok van de stem achter hem. Hij was zo opgegaan in het zoeken, dat hij er niet meer aan dacht dat hij niet alleen was in het dorp.

'Vic!'

Vic stond nonchalant tegen de deurpost geleund en sloeg Thom geamuseerd gade. Hij had zich vrijwillig gemeld om als enige in het dorp te blijven tijdens de festiviteiten. Dat deed hij al jaren. De traditie wilde dat een dorp nooit alleen werd gelaten. Vic had de ceremonies al zo vaak meegemaakt, dat het voor hem niet meer zo nodig hoefde.

'Ik vind mijn sarong niet. Ik heb mijn hele kist overhoop gehaald…'

'Ja, dat zie ik,' merkte Vic droogjes op.

'Lach me niet uit, Vic. Ik ben al te laat en zonder sarong kan ik niet naar het feest; dat weet je best. Ik weet zeker dat ik hem nog niet zo lang geleden in mijn handen had. Iemand moet me een vuile streek gelapt hebben.'

'Weet je dat zeker?' vroeg Vic. De glimlach bleef om zijn mond spelen.

'Hoe verklaar je anders dat het ding weg is? Een sarong heeft geen pootjes, hoor.'

'Heb je overal gekeken?'

'Dat zeg ik toch! Hij is nergens te vinden.'

'Ook op de tafel?'

'Alsof ik dat ding daar zou bewaren,' zei Thom geïrriteerd. Hij kwam overeind en wees naar de tafel. 'Je ziet toch zelf dat...'

De woorden stokten in zijn mond. Daar lag de kleurige sarong, netjes opgevouwen.

'Heb jij...?'

Vic schudde zijn hoofd en tegelijkertijd sloeg Thom zich met de vlakke hand tegen het voorhoofd.

'Natuurlijk! Ik heb hem gisterenavond klaargelegd om hem zeker niet te vergeten.'

Hij graaide naar het kledingstuk en stopte het in een kleine, geitenleren draagtas.

'Je verstrooidheid wordt ooit nog legendarisch,' lachte Vic. 'Let op mijn woorden.'

'Ja, lach maar. Ik moet rennen, Vic. Draag zorg voor het dorp.'

'Dat doe ik,' zei Vic met een brede glimlach.

Thom liep langs hem heen en gaf hem een stevige klap op de schouder, zijn manier om Vic te tonen dat hij hem graag mocht.

'Niets vergeten, Thom?' riep Vic de wegrennende jongen na.

'Nee!'

'Water misschien? Het wordt een warme dag!'

Thom bleef abrupt staan en keerde toen op zijn stappen terug. Hij rende weer naar binnen, griste een slappe waterzak van een haak en liep naar de waterput, het gelach van Vic negerend. Hij liet de emmer met een luide plons in het water vallen en draaide als bezeten aan de lier. Hij dompelde de waterzak onder in de emmer en wachtte zenuwachtig tot die goed gevuld was. Toen rende hij van het plein af naar de weg. Hij wilde niet alleen in het hoofddorp aankomen. Misschien kon hij de anderen nog inhalen.

Vic keek de jongen lachend na. Hij kende hem al van kindsbeen af en Thom zou altijd een speciale plaats in zijn hart hebben. Het eens zo frêle jongetje was opgegroeid tot de gespierde kerel van negentien die hij nu was, maar zijn naïeve inborst en zijn hopeloze verstrooidheid waren nog altijd dezelfde. Hij was zo helemaal anders dan de andere eilanders.

Thom liep puffend over de noordelijke weg langs de rotskust. Hoewel het nog vroeg was en pas lente, brandde de zon genadeloos op zijn hoofd. Op zijn fysieke conditie was niets aan te merken, maar door de zenuwen ademde hij totaal verkeerd. Naar adem happend bleef hij staan. De weg voor hem was leeg. Hij moest er zich bij neerleggen dat hij alleen zou aankomen; weer een reden om met hem te lachen. Met een zachte plop trok hij de kurk uit de waterzak en zette zijn mond aan de hals. Hij had geleerd niet te gulzig te drinken, zelfs niet als hij dorst had. Ten eerste veroorzaakte dat maagkrampen en ten tweede was water een kostbaar goed, waar je zuinig mee moest omspringen. Dat ondervonden de eilandjongens op de overlevingstochten die ze zonder uitzondering moesten meemaken. Thom sloot de waterzak weer af en zette zijn tocht verder. Nog langer als een gek rennen had weinig zin, maar hij zette er toch stevig de pas in.

Het geraas van de branding overstemde het fluiten van de vogels in het dichte woud links van hem. Thom hield niet van het woud. De zee was meer zijn ding en hij was blij dat hij krabbenvanger was. Dat was niet altijd zo geweest. Zoals zoveel jongens droomde hij er op zijn zestiende van beschermer te worden. Samen met zijn allerbeste vriend Jari volgde hij de twaalf maanden durende opleiding die voorafging aan de uiteindelijke selectie. Veel jongens hielden de zware proeven niet vol en vielen af, maar Jari en Thom waren doorzetters. Ze steunden elkaar wanneer het zwaar werd en trokken zich op aan elkaars doorzettingsvermogen. Tijdens de selectieproeven scoorden ze allebei meer dan behoorlijk en het zag ernaar uit dat ze samen hun intrek zouden nemen in de kleine nederzetting van de beschermers midden in het woud. Thoms verrassing was groot toen het verdict werd uitgesproken: Jari mocht toetreden tot de gemeenschap van beschermers en Thom zou krabbenvanger worden. Dat was toch onmogelijk? Voor enkele proeven had hij zelfs beter gescoord dan zijn vriend. Maar de beslissing van de selectiecommissie kon nooit in twijfel getrokken worden; zelfs vragen stellen over hun beslissing was iets wat niet gebeurde. Zo had Thom met pijn in het hart het woud én zijn vriend de rug toegekeerd om zich als zeventienjarige definitief in het dorp van de krabbenvangers te vestigen. Tegen zijn zin bouwde hij er zijn eigen hut en bekwaamde zich in het krabbenvangen. Nu hij erop terugkeek, waren de twee afgelopen jaren voorbijgevlogen. Thom had zich ontpopt tot een van de bekwaamste krabbenvangers en de zee had een plaats in zijn hart veroverd. De drang om beschermer te worden was helemaal verdwenen en hij was nu zelfs blij dat hij indertijd geweigerd was. In het woud kwam hij alleen als het echt nodig was. Dicht bij de zee en in de grotten voelde hij zich perfect in zijn element.

Vier keer per jaar kwam Thom nog in het hoofddorp, waar hij was opgegroeid. Elke eilandbewoner nam deel aan het overgangsritueel dat het nieuwe seizoen inluidde; slechts één inwoner van elk dorp bleef achter. De terugkeer ging voor Thom altijd gepaard met gemengde gevoelens. Hij keek ernaar uit om Jari terug te zien. In de drie maanden die hen scheidden, gebeurde er altijd genoeg om stof op te leveren voor urenlange verhalen. De drie dagen van festiviteiten waren vaak te kort. Maar terugkeren naar het hoofddorp hield ook een verplicht bezoek aan zijn ouders in, en daar zag hij elke keer meer tegen op. Bor en Elfrid waren brave mensen. Ze hadden hem keurig opgevoed en met de beste zorgen omringd, maar toch had hij nooit de band gevoeld die zo kenmerkend was voor de meeste gezinnen. Zijn ouders verwachtten dat hij bij hen logeerde tijdens de festiviteiten en de avond van zijn aankomst bereidde zijn moeder altijd een uitgebreide maaltijd. Maar Thom kon het gebrek aan warmte in zichzelf niet wegcijferen; het vrat aan hem en het maakte dat hij zich slecht op zijn gemak voelde in zijn vroegere thuis. Soms nam hij zichzelf kwalijk dat hij niet dankbaarder was; dat hij zich geen betere zoon toonde. Maar hoe hij ook zijn best deed, het lukte hem niet om hartelijk te zijn.

Zuchtend keek hij naar het water. Dat deed hij automatisch als hij zich wat minder goed voelde, ook al moest hij er 's avonds laat zijn hut nog voor verlaten. De zeegoden waren hem tot nu toe goed gezind geweest. Hoewel krabbenvangen een moeilijke discipline was, leek het soms of de schaaldieren naar hem toe kwamen om door hem gespietst te worden. Vooral de afgelopen maand had het geluk hem toegelachen en de bevoorrader had breed gegrijnsd toen Thom zijn vangst had laten zien. Veel eilanders zouden zich tijdens het feest tegoed doen aan krabbenvlees dat door hem was gevangen. Hij raakte de krabbenschaar aan die aan zijn riem hing. Die was niet alleen het symbool van zijn functie op het eiland, maar volgens Thom bracht hij ook geluk. Zijn leven was eenvoudig, maar hij was er best tevreden mee.

2.

Voor Jari was het overgangsritueel iets waar hij maanden op voorhand mee bezig was. Eigenlijk begonnen de voorbereidingen al de dag na het afsluiten van het vorige ritueel. Gebruikte stenen moesten uit de tempel gehaald worden en meegenomen naar het beschermersdorp om daar opnieuw opgeladen te worden. De invoeging en de schikking van de stenen was van groot belang: alles moest precies op de juiste plaats staan. Dat betekende dat hij net als de andere beschermers geregeld heen en weer moest naar het hoofddorp. Hij kon zijn werk in alle rust doen; in zijn hoedanigheid van beschermer werd hij door niemand lastiggevallen of opgehouden; daarvoor was het respect van de eilanders te groot.

Jari's ravenzwarte haar hing in een lange vlecht op zijn rug en vormde een dikke, donkere streep op het roestbruine hemd dat hij droeg. Dat hing los over de wijde, zwarte broek waarvan de pijpen net boven zijn sandalen met lederen veters waren dichtgebonden. Alle beschermers zagen er eender uit en waren op een afstand te herkennen. Jari nam zijn taak als beschermer heel ernstig. Lesgeven was voor hem nog niet weggelegd en in het raadplegen van het orakel had hij nog veel te leren, maar met zijn grote kracht en scherpe intuïtie was hij een belangrijke schakel in de bescherming van de Krachtige Steen. Hij keek naar het glimmende, melkwitte gesteente dat midden op het altaar stond. Het uit massieve rots gehouwen altaar mat vijf bij vijf meter. De tempel was letterlijk rond de rots gebouwd. In de twee jaar dat hij deze taak uitvoerde, had Jari de Krachtige Steen goed genoeg leren kennen om te weten dat zijn energie bijna op was. Het was hoog tijd dat hij opnieuw gevoed werd. De grofgevormde steen was min of meer bolvormig en had een doorsnede van twee meter. Eromheen bevonden zich twaalf openingen in de rots, elk bestemd om er een kleinere steen in te plaatsen.

Jari hielp bij het plaatsen van de amethisten. De paarse kristallen waren elk zo'n meter bij een meter en liepen op een meter hoogte in een dikke punt uit. Er waren vier beschermers nodig om ze te tillen. De armspieren van de jonge mannen trilden terwijl ze de stenen in de daarvoor voorziene holtes in de rots plaatsten.

In elke holte zat een kleine opening die verbinding maakte met een grotere opening onder de Krachtige Steen. De kanalen brachten de voeding van de kleine stenen naar het centrale kanaal, maar wat zich daaronder bevond, wist niemand; de Krachtige Steen mocht nooit verplaatst worden. Jari kon zich trouwens niet voorstellen hoe ze zo'n kolos in beweging zouden kunnen krijgen. Het was hem een raadsel hoe hij ooit op zijn plaats was gekomen. Ook hoe de steen precies werkte, was voor de eilanders een groot mysterie, en

Jari vroeg zich af of zelfs de opperbeschermer precies wist hoe de vork in de steel zat. De Krachtige Steen was in feite een sterk baken dat bij nacht van mijlenver zichtbaar was. Via de centrale opening in het dak van de tempel stuwde de Krachtige Steen een felle lichtbundel tot hoog in de hemel. De eilanders geloofden dat het baken ooit een ander eiland zou aantrekken, net zoals de profetie beloofde. Na verloop van tijd verzwakte de lichtbundel, maar na het overgangsritueel lichtte het baken telkens weer in volle hevigheid op, de hoop van alle eilanders met zich meevoerend.

'Voorzichtig… een beetje naar rechts… zakken nu… let op je vingers… oké.'
De amethist zat perfect op zijn plaats. Met een zucht trokken de beschermers hun handen uit de speciaal daarvoor voorziene holtes. Het was altijd zaak de steen precies op de juiste plaats vast te pakken. Wie zijn handen niet in de holtes legde bij het laten zakken van de steen, kon zijn vingers wel vergeten. Jari was nooit getuige geweest van een dergelijk ongeval, maar Enok was het levende bewijs dat het risico niet denkbeeldig was. Sinds hij de vingers van zijn linkerhand had verloren, legde hij zich volledig toe op lesgeven. Bij de lessen over de verzorging van de stenen stak hij altijd demonstratief zijn verminkte hand in de lucht. Zowel Jari als Thom waren toen behoorlijk onder de indruk geweest. Thom liep dat risico nu natuurlijk niet

meer, maar zijn taak was ook niet zonder gevaren, wist Jari. De scharen van de grotere krabben konden een onoplettende krabbenvanger ook gemakkelijk een paar vingers kosten.

Jari keek naar de constellatie rond de Krachtige Steen. Acht amethisten stonden al op hun plaats, en de negende gingen ze nu doen. De overige stenen zouden de volgende dagen vanuit het beschermersdorp met een kar naar de tempel gebracht worden. De laatste amethisten werden in aanwezigheid van alle eilanders op hun plaats gezet. Na de voltooiing van de constellatie was er dan nog een hele dag feest om het nieuwe seizoen te verwelkomen. Zo was het al altijd gegaan en zo zou het ongetwijfeld altijd blijven gaan.
'Jari, je staat weer te dromen. Die laatste amethist moet op zijn plaats. Wij moeten nog terug om de andere stenen klaar te zetten.'
'O ja, natuurlijk. Ik ben er al.'
Samen met de drie andere beschermers spande Jari zijn spieren om de laatste amethist op te tillen. De prachtige paarse kristallen weerkaatsten het licht dat door de ronde opening in het dak naar binnen viel. De onderkant van de steen bestond uit een groenachtige korst waardoor de vier mannen er gemakkelijk grip op kregen.
'Leni, pas op, je hand zit te ver naar rechts,' hijgde Jari.
Leni verplaatste zijn rechterhand een beetje.
'Je hebt gelijk. Bedankt.'

De amethist kwam zonder ongelukken op zijn plaats terecht en de vier jonge mannen rechtten opgelucht hun rug. Hier en daar klonk een droge knap van een wervel die weer op zijn plaats schoof.

'We zien je morgen, Jari.'

Met deze groet vertrokken de drie beschermers. Ze sloten de poort van de tempel af en lieten Jari alleen. Drie van de vier beschermers die de stenen klaarzetten, hielden volgens de traditie elk één nacht de wacht. Dit jaar beet Jari de spits af. De bewaker werd in de tempel opgesloten en mocht niet eten of drinken tot hij de volgende ochtend werd afgelost. De tempel kon alleen van buitenaf worden afgesloten. Het was de taak van de bewaker ervoor te zorgen dat niemand de tempel gedurende de Krachtige Nachten betrad. De Krachtige Steen bereidde zich voor op zijn voeding en dat moest in absolute rust gebeuren. De bewaker ging met gekruiste benen op drie meter van het altaar zitten en keek onafgebroken naar de centrale steen. Op die manier schonk hij de Krachtige Steen het vertrouwen van alle eilanders. Jari hield van deze opdracht; drie keer per jaar kreeg hij de kans om een hele nacht alleen met de Krachtige Steen door te brengen. Dat was een speciale ervaring, die hem elke keer vulde met een gevoel van gelukzaligheid. Het was alsof hij één werd met het hele eiland. Hij kon de energie van alle stenen door zich heen voelen stromen. De meest bijzondere ervaring vond hij wanneer hij de laatste avond voor zijn rekening mocht nemen. Dan stonden alle stenen op hun plaats en was de kracht van de centrale steen op zijn toppunt. De energie die dan door hem heen stroomde, was met geen woorden te beschrijven. Jari vond het jammer voor Thom dat hij dit nooit zou kunnen meemaken. Hij had nooit begrepen waarom zijn beste vriend niet was toegelaten tot de beschermers. Als íemand de kwaliteiten bezat, was hij het, misschien wel meer dan hijzelf. En toch hadden ze een gewone krabbenvanger van hem gemaakt. Onbegrijpelijk. Niet dat Jari neerkeek op de krabbenvangers, want ze hadden best een belangrijke functie; de rituelen zouden immers niet hetzelfde zijn zonder krabbenvlees. Maar de lichamelijke en geestelijke balans die zo belangrijk was voor een beschermer, en waarover Thom zonder twijfel beschikte, had je niet nodig om krabbenvanger te worden. Jari had er zich al vaak het hoofd over gebroken, maar hij zag geen enkele verklaring, en ernaar vragen durfde hij niet. Dat zou immers inhouden dat hij de beslissingen van de selectiecommissie in twijfel trok. Er waren nu eenmaal zaken die niemand ooit in vraag stelde.

Jari keek ernaar uit zijn goede vriend weer te zien. Bijpraten bij een goede kruik bier, meer hadden ze niet nodig. Ook al zagen ze elkaar de laatste tijd weinig, hun band werd alleen maar sterker.

Buiten het ritueel om werd de tempel niet gebruikt. De massief houten poort met gouden inleg bleef drie maanden gesloten en werd bewaakt door twee beschermers die om de twee weken werden afgelost. Die bewakingsopdracht was nauwelijks meer dan een rituele aangelegenheid. Er was immers geen enkele manier waarop de Krachtige Steen gestolen kon worden. Het was echter belangrijk dat de eilanders zagen dat het voornaamste element van het eiland dag en nacht bewaakt werd. Net als alle andere beschermers wist Jari dat het belang van de Krachtige Steen in het niets verzonk in vergelijking met de Moedersteen, die in het beschermersdorp bewaakt werd en wellicht het best bewaarde geheim van het eiland was. Het beschermersdorp bevond zich diep in het woud en er liep maar één enkele weg van het hoofddorp naartoe. Daar stond een exacte kopie van de tempel in het hoofddorp. Binnenin bevond zich een identiek altaar, waarop de Moedersteen prijkte. Die leek het evenbeeld van de Krachtige Steen, maar had, naast het voeden van de amethisten, nog een andere, zeer belangrijke functie. De Moedersteen zorgde voor het eiland als een moeder voor haar kind; zij hield het drijvende. Wanneer de amethisten terugkwamen na het overgangs-ritueel werden ze op precies dezelfde manier rond de Moedersteen geplaatst. De wisselwerking van energieën zorgde ervoor dat de Moedersteen haar kracht tot diep in het eiland stuurde en zo het wegzinken ervan verhinderde. De beschermers zorgden ervoor dat dit eeuwenoude sys-teem bleef bestaan; ze verzorgden en vereerden de stenen die hun krachten aan het eiland schonken. Buiten de beschermers was niemand op de hoogte van deze werking van de Moedersteen. Net als alle andere beschermers was Jari absolute geheimhouding bevolen, wat inhield dat hij zelfs niets mocht vertellen aan zijn beste vriend.

Jari glimlachte. Het zou deugd doen om de komende drie dagen weer tussen de mensen te zijn. Hoewel het leven als beschermer hem zeker goed beviel, viel de afzondering hem soms zwaar. Jari had zijn sociale inborst van zijn ouders geërfd; hij genoot ervan tussen de mensen te zijn.

3.

Niemand sprak hem erop aan, maar veel gezichten spraken boekdelen toen Thom alleen het hoofddorp bereikte. De krabbenvangers die hem zagen, wisselden blikken van verstandhouding. Niemand keek er echt van op. Thom was een buitenbeentje in zijn gemeenschap; daar had hij intussen mee leren leven. De roep van de plicht volgend liep hij recht naar het ouderlijke huis. Daar stond zijn moeder vast al reikhalzend uit te kijken naar de komst van haar zoon. Een zwaar gevoel nestelde zich in zijn borstkas. Hij hoefde maar vier keer per jaar de perfecte zoon te zijn; waarom was dat toch zo moeilijk?

Elfrid stond inderdaad al op het bordes en zwaaide toen ze haar zoon in de verte zag aankomen. Op haar gezicht tekende zich een brede glimlach af. Ze draaide zich om en riep iets naar binnen. Enkele tellen later ging de deur open en kwam Bor naast haar staan. Ook hij stak zijn hand op in een verwelkomende groet.

Het ouderlijk huis van Thom stond op palen. Het was het enige in het hoofddorp, maar Bor vond dat je als eilandbewoner op alles voorbereid moest zijn. Het dorp lag vlakbij de zee en hoewel het nooit was gebeurd, vond Bor het toch niet denkbeeldig dat de zee een stuk op het land zou willen terugwinnen. De overige dorpelingen hadden geamuseerd toegekeken toen Bor zijn huis bouwde. Met zoveel fantasie was hij beter verhalenverteller geworden, vonden ze. Bor had zich van de kritiek en de schimpscheuten niets aangetrokken en had zijn plan koppig doorgezet, met als gevolg dat het huis boven het dorp uittorende. Thom was er vroeger vaak mee gepest: zijn familie was anders en daardoor hoorde hij er niet helemaal bij.

Thoms benen waren loodzwaar toen hij de trap beklom en dat kwam niet door de urenlange tocht die hij erop had zitten. Elfrid gaf hem nauwelijks de kans de laatste trede te nemen en sloot hem in haar armen.

'Jongen, wat ben ik blij je te zien. En wat zie je er goed uit!'

'Dag moeder. Alles goed met jullie? Dag vader.'

Bor schudde Thoms hand en klopte hem op de schouder. Hij was geen grote prater.

'Kom binnen, Thom,' zei Elfrid. 'Het eten is al klaar. Ik zag de stoet uit je dorp in de verte aankomen en dacht dat je erbij zou zijn. Was je iets vergeten?'

Thom knikte. Zijn moeder kende hem natuurlijk.

'Niet erg, hoor. We zijn blij dat je er bent, is het niet, Bor?'

Bor knikte en produceerde een zuinige glimlach, zijn manier om enthousiast te zijn.

'Ik heb heerlijke rog klaargemaakt, vers gevangen. Ik heb hem vanmorgen pas gehaald. Ik dacht bij mezelf, krabbenvlees kan onze jongen zo vaak eten als hij wil. Je zit tenslotte bij de bron. Maar rog lustte je vroeger altijd zo graag, toch?'

Thom glimlachte.

'En daarom dacht ik bij mezelf: als Thom komt, haal ik de mooiste rog die ik kan vinden, zo vers als wat. Ga maar meteen aan tafel zitten.'

Elfrid ratelde maar door; ze kon haar opwinding niet verbergen. Elke keer als Thom thuiskwam, maakte ze rog en elke keer ratelde ze hetzelfde verhaaltje af, zonder dat ze iemand de kans gaf er een speld tussen te krijgen. Intussen ging Bor zwijgend aan tafel zitten. Thom volgde zijn voorbeeld, terwijl Elfrid in de keuken verdween.

Het huis stond dan wel op palen, maar het had precies dezelfde indeling als alle andere huizen in het hoofddorp: een portiek, een ruime woonkamer, een aparte keuken en één slaapkamer. Wassen gebeurde buiten met water uit een grote regenton en het toilet bevond zich ook buiten. In hun geval moesten ze telkens naar beneden, een nadeel ten opzichte van de andere huizen. Toen Thom nog thuis woonde, sliep hij op de slaapbank onder het raam in de woonkamer. Daar zou hij de komende drie nachten ook slapen. Kinderen hadden geen aparte slaapkamers.

De conversatie tijdens de maaltijd werd gedomineerd door Elfrid. Ze lichtte Thom in over het wel en wee van het hoofddorp, zodat hij op de hoogte was van wat er tijdens zijn afwezigheid was gebeurd. Thom toonde weinig interesse, maar als dat zijn moeder al opviel, liet ze daar niets van merken. Ze bleef maar praten en het mocht een wonder heten dat ze nog de tijd vond om tussendoor iets in haar mond te steken. De maaltijden vond Thom het vermoeiendste aspect van de bezoeken aan zijn ouders. Na de informatieronde kwam het gedeelte dat zo mogelijk nog vervelender was: de vragen.

'En hoe gaat het nu bij de krabbenvangers? Woon je er graag? Red je het alleen? Heb je veel contact met de anderen? Accepteert iedereen je? Mis je het hoofddorp nooit? Soms is het wel zwaar, zeker? Heb je veel gevangen? Je bent toch wel voorzichtig? Eet je voldoende? Ben je niet te eenzaam?'

Elfrid had een heel arsenaal vragen die ze op Thom afvuurde. Hij beperkte zich tot het geven van de kortst mogelijke antwoorden, wat af en toe resulteerde in een teleurgestelde blik van zijn moeder, die toch net iets meer van de conversatie had verwacht. Bor keek zoals altijd zwijgend toe.

Als dessert had Elfrid gebak met noten, en hoewel Thom genoeg had, wurmde hij toch een stuk naar binnen om zijn moeder een plezier te doen. Toen het op was, kon hij nauwelijks een zucht van opluchting onderdrukken.

'Ik ga even het dorp in,' zei hij, terwijl hij zijn stoel achteruit schoof.

'Maak je het niet te laat?' vroeg Elfrid, haar best doend om haar teleurstelling te verbergen. Zoals altijd had ze gehoopt dat hun zoon gezellig de avond met hen zou doorbrengen.

'Ik zal stil zijn,' antwoordde Thom, aangevend dat ze voor hem niet hoefden op te blijven.

Het hele dorp zinderde van verwachting. De beschermers met hun vracht waren niemand ontgaan en overal werden de laatste voorbereidingen getroffen om er ook deze keer weer een spetterend feest van te maken. Speciale eet- en drankstalletjes werden opgezet, wat inhield dat er een paar meter uit elkaar twee tonnen werden neergezet met daarop een lange plank. De geïmproviseerde keukens bestonden uit grote houtvuren onder metalen driepoten. Daar hingen grote kookpotten aan. Boven andere vuren hing een lang spit om kippen of een varken op te spietsen, of er lag een metalen rooster om vis en krabbenvlees op te grillen. Houten vaten met donker bier werden naar de verscheidene stalletjes gerold en overal stonden watertonnen waaruit men met een grote lepel kon scheppen om te drinken of om zich te verfrissen. Iedereen droeg zijn steentje bij; het feest was van iedereen.

Thom liep naar de tempel, maar zoals hij al had verwacht, was hij te laat om Jari nog te zien. Ofwel was hij al terug naar het beschermersdorp, ofwel zat hij binnen. In beide gevallen zou Thom tot de volgende dag geduld moeten hebben om zijn vriend te zien. Omdat hij geen zin had om de avond bij zijn ouders door te brengen, slenterde hij wat rond in het dorp. Met zijn tweeduizend inwoners scheen het hem gigantisch toe; de laatste twee jaar was hij immers gewend geworden aan het leven in een besloten gemeenschap met amper veertig mensen. Ook toen hij nog bij zijn ouders woonde, had hij nooit veel contact gehad met de andere dorpelingen, en er waren er dan ook weinig die hem aanspraken. Wel werd hij door velen vriendelijk toegeknikt, ook door mensen van wie hij zich niet herinnerde of hij verondersteld werd ze te kennen.

Twee meter voor hem uit liep een meisje te zwoegen met een kist die ze nauwelijks kon tillen. Thom versnelde zijn pas en ging naast haar lopen.

'Zal ik je daar even mee helpen?' vroeg hij.

Het meisje schrok en liet de kist bijna vallen. Thom haastte zich om haar vracht tegen te houden.

'Sorry, ik wilde je niet laten schrikken.'

'Geeft niet, hoor. Bedankt.'

'Waar moeten deze naartoe?' vroeg hij, knikkend naar de met aardewerken bekers gevulde kist.

'Daar, bij het drankenstalletje,' wees het meisje.

'Ik draag ze wel even,' zei Thom behulpzaam.

Met zijn getrainde armen had hij geen moeite met de zware kist, maar het meisje moest er een hele klus aan gehad hebben. Pas toen hij de kist op zijn plaats had gezet, nam hij de tijd om het meisje goed te bekijken. Ze had lang, kastanjebruin haar en dito ogen. Om haar brede mond lag een stralende glimlach toen ze hem bedankte.

'Geen dank,' zei hij. 'Het was een kleintje.'

'Dat vond ik anders niet,' lachte ze.

Lichtjes in de war door haar schoonheid bleef Thom haar aanstaren.

'Je herkent me niet, hè?' vroeg ze.

Thom keek haar onderzoekend aan.

'Kennen wij elkaar dan?'

'Ik ken jou toch. Jij bent Thom, niet? Van het paalhuis.'

Thom knikte. 'Hoe…'

'Jullie huis valt wel op, hoor,' lachte ze. 'Iedereen weet over wie we het hebben als het over het paalhuis gaat.'

'Ja… natuurlijk,' mompelde Thom.

'Enea,' zei ze, terwijl ze hem de hand reikte.

'Thom,' antwoordde hij. 'O ja, dat wist je al.'

Enea lachte weer en begon de bekers uit te laden. Thom stond er wat onwennig bij; hij had weinig ervaring met vrouwen. Aangezien Enea niet geneigd leek het gesprek voort te zetten, besloot hij verder te lopen.

'Nu… dan eh… dan ga ik maar,' zei hij aarzelend.

'Oké,' antwoordde ze zonder zich naar hem toe te draaien, 'nogmaals bedankt, hè.'

'Geen probleem.'

Na een paar meter keek hij nog eens om: ze was echt mooi.

'Enea.' Hij proefde de naam een paar keer in zijn mond: hij smaakte goed.

4.

Het zonlicht dat in de ronde opening viel, verlichtte de tempel. Jari opende zijn ogen en keek een beetje beschaamd om zich heen, ook al wist hij dat hij alleen was. Hij was in slaap gevallen; het was alsof de energie van de Krachtige Steen hem als een zachte deken had toegedekt. Het was niet de eerste keer dat dit gebeurde. Misschien overkwam het wel meer beschermers die hier de nacht doorbrachten. Natuurlijk zou niemand het in zijn hoofd halen dat te vertellen.

Jari ging overeind zitten en verbond zijn geest met de steen voor hem. Hij prevelde een dankgebed; hij beschouwde het als een voorrecht dat hij de nacht hier had mogen doorbrengen. Het rommelen van zijn maag vertelde hem dat het tijd werd voor de aflossing. Hij glimlachte: zijn lichaam had niet altijd door dat de geest sterker was. Door zo ongeduldig te grommen probeerde het alle aandacht naar zich toe te trekken, maar Jari wist dat het slechts een kwestie van tijd was voor zijn lichaam zich zou onderwerpen aan zijn spirituele kracht.

Het wegschuiven van de zware grendel aan de buitenkant van de poort verstoorde de stilte in de tempel, en Jari kwam overeind. De zware deuren zwaaiden open en meer licht stroomde binnen. De drie jonge beschermers met wie hij de dag daarvoor had samengewerkt, begroetten hem.

'Is de nacht goed verlopen, Jari?'

'Prima, maar je voelt dat de steen honger heeft. Het wordt hoog tijd dat hij gevoed wordt.'

'Vandaag krijgt hij nummers tien en elf. De stenen liggen al op de kar en worden straks door de opperbeschermer naar hier gebracht. Er is buiten veel volk op de been. Ga jij maar even eten. Wij wachten hier.'

Dat liet Jari zich geen twee keer zeggen. Zolang zijn spirituele kracht zijn lichaam niet de baas was, gaf hij wat graag gehoor aan de roep van zijn maag. De warmte trof hem toen hij buiten kwam. Hoewel het nog vroeg was en de zon een nog heel wat hogere temperatuur beloofde, was het contrast met de koele tempel toch al sterk voelbaar. Een van de voordelen van het overgangsritueel was dat je niet ver hoefde te zoeken om iets te eten te vinden. De eetstalletjes stonden letterlijk overal. Toch bedwong Jari zijn honger en stopte hij niet bij het eerste het beste stalletje. Zoals alle beschermers geloofde hij heel sterk in het lot en hij nam elke gelegenheid te baat om er zich bewust door te laten leiden. Zijn maag smeekte om onmiddellijk gevoed te worden, maar Jari wachtte op een teken dat hem ergens zou doen stoppen. Op die manier wilde hij zich trainen om de tekens die het lot constant uitzette te herkennen.

De kraampjes zagen er allemaal eender uit en Jari's maag begon steeds harder te rommelen, maar hij hield koppig vol. Al moest hij het hele dorp rondlopen, hij dwong zichzelf pas te eten wanneer het lot hem tegenhield.

Het was haar glimlach die hem trof als een bliksemschicht. Jari bleef staan en keek het meisje aan. Heel even vergat hij zijn protesterende maag. Het meisje had lange, kastanjebruine haren en haar mooie, bruine ogen kneep ze een beetje toe toen ze hem haar warme glimlach schonk. Voor Jari volstond dit ruimschoots als signaal. Hij liep naar het stalletje toe.

'Kan ik je helpen?' vroeg het meisje.

'Je kunt me je naam verklappen,' zei Jari met een innemende glimlach.

Het meisje lachte: 'De meeste mensen stoppen hier omdat ze honger hebben.'

'Dat heb ik ook, maar als ik je naam weet, zullen je waren nog veel beter smaken.'

'Enea,' zei ze. Ze sprak haar naam uit met dezelfde uitbundigheid als waarmee de zon het dorp verwarmde.

'Nou, Enea, dan wil ik graag een gemberkoek van jou.'

'Hij zal vast beter smaken als je me jouw naam vertelt,' zei Enea met een ondeugende lach op haar gezicht.

'Probeer je me te verleiden?'

'Ik probeer je naam te weten te komen,' antwoordde ze. 'Meer niet.'

'Jari.'

Enea overhandigde hem een gemberkoek. 'Wil je er iets bij drinken? Ik heb koele groene thee.'

'Graag,' zei Jari. 'Kom je naar de ceremonie?'

'Als beschermer zou je toch moeten weten dat iedereen naar de ceremonie komt?' vroeg Enea gespeeld verbaasd.

Jari glimlachte. 'Dan zie ik je misschien nog bij de tempel. Bedankt voor het lekkers.'

'Laat het je smaken, Jari.'

Jari beet in de gemberkoek terwijl hij wegliep. Hij smaakte verrukkelijk. De dag begon goed: hij had een heerlijke nacht gehad bij de Krachtige Steen en het lot had hem een prachtige glimlach geschonken. De voortekenen konden nauwelijks beter zijn; het zou een mooi overgangsritueel worden. Jari spoelde de laatste kruimels door met de groene thee. Koel was een relatief begrip bij dit warme weer, maar hij smaakte goed. Jari had nog wat tijd en besloot naar het huis van Thoms ouders te lopen. Zijn vriend was vast al in het dorp aangekomen.

Jari begroette Thoms vader, die de palen waarop het huis rustte met pek aan het insmeren was. Het overgangsritueel kon hem niet van zijn dagelijkse bezigheden afbrengen.

'Jari.'

Meer zei Bor niet, maar Jari wist dat dit voor de zwijgzame man gelijkstond aan een hartelijke groet.

'Is Thom hier?'

Bor keek even op van zijn werk.

'Thom?' vroeg hij, alsof hij even moest nadenken over wie Jari het had. 'Heeft hier geslapen, maar hij ging al vroeg op pad. Naar de tempel.'

'O, dan heb ik hem waarschijnlijk net gemist. Geeft niks, dan zie ik hem daar wel. U komt toch naar de ceremonie?'

Bor knikte en ging weer aan het werk. Jari liep verder, terwijl hij zich afvroeg hoe het mogelijk was dat een man met zo weinig levenslust iemand als Thom had kunnen verwekken. Bor had zijn karakter in ieder geval niet met zijn genen doorgegeven. Jari en Thom hadden in hun jeugd zoveel plezier gemaakt en vaak was het Thom geweest die met de meest waanzinnige initiatieven op de proppen kwam. Doordat ze twee jaar geleden gescheiden waren, was er een onmiskenbare barst gekomen in het spontane karakter van hun vriendschap, maar diep in zijn hart voelde Jari dat hun band nog altijd even sterk was. Hij kon zich niet voorstellen dat zijn gevoel voor Thom ooit zou veranderen.

Ondanks het vroege uur was Enea al druk in de weer. Ze bracht drankjes en heerlijk uitziende koeken aan de man.

'Enea, heb je zo'n gemberkoek voor mij?' vroeg Siebert, de bierbrouwer. 'Of doe er maar twee, ik heb honger. En wat groene thee ook, alsjeblieft.'

'Zorg dat er nog wat over is, hè, Siebert. Wij hebben ook honger,' zei de man die achter hem op zijn beurt wachtte.

'Alsof de voorraad hier al ooit uitgeput is geweest,' lachte Siebert. 'Trouwens, wie denk je dat het bier gebrouwen heeft dat jullie straks met z'n allen achterover zullen hijsen?'

'In ieder geval niemand die geholpen heeft de gemberkoeken te bakken, want daar was ik zelf bij.'

Freia, die Enea hielp in het eetstalletje, mengde zich in het gesprek.

'En ik moet toegeven dat ze heerlijk smaken, Freia,' smakte Siebert. 'Als er na het feest nog over zijn, ruil ik er graag een paar voor een vat bier.'

'Zeg dat maar niet tegen mijn Egon. Als hij dat hoort laat hij me zelfs 's nachts bakken,' lachte Freia.

Enea volgde de conversatie niet. Ze had het te druk met bedienen.

Thom keek geamuseerd toe. De korte ontmoeting met Enea de vorige dag was blijven nazinderen en het had een hele poos geduurd voor hij de slaap kon vatten. Tot nu toe had Thom zich weinig vragen gesteld over het feit dat hij alleen woonde. Hij was een krabbenvanger en zijn sterke band met de zee had geen plaats gelaten om te denken aan de mogelijkheid een vrouw aan zijn zijde te hebben. Maar Enea maakte iets in hem los. Hij kon niet meteen plaatsen wat het was, maar het maakte zijn maag van streek. Het was vooral haar brede glimlach die hem betoverde. Het was een lach die zoveel vrijheid en levenslust in zich droeg. Hoe was het mogelijk dat hij dit meisje vroeger nooit had opgemerkt?

Na het ontbijt was hij vertrokken naar de tempel om Jari te zien, maar het eetstalletje waar Enea werkte, trok hem aan als een magneet. Alleen al naar haar te kijken gaf hem een grote voldoening. Het meisje keek even op en haar blik kruiste de zijne. Hij voelde zich betrapt en kreeg een kleur, maar Enea schonk hem een stralende glimlach. Thom beantwoordde haar lach en liep snel verder, haar naam zacht voor zich uit prevelend. Nog altijd glimlachend liep hij het centrale plein op. De deuren van de tempel stonden open. Jari was al weg. Thom had zich vaak afgevraagd hoe het zou zijn om alleen de nacht door te brengen in de tempel. De eenzaamheid en de duisternis zouden hem totaal niet deren, maar het feit dat de deuren van buitenaf werden afgesloten, deed hem denken aan een gevangenis. Bovenal was Thom gesteld op zijn vrijheid; goed en wel beschouwd was de positie van beschermer toch niets voor hem geweest. Hoe groot die tempel vanbinnen ook mocht zijn, het idee dat iemand je het onmogelijk maakte om weg te gaan wanneer je wilde, kon er bij hem niet in. Dan zat hij duizend keer liever helemaal alleen in zijn krabbengrot, ook al beslisten de getijden daar over het moment waarop je de grot al dan niet kon verlaten.

'Thom!'

Met een ruk werd Thom uit zijn gedachten gehaald. Jari liep breed glimlachend op hem af, de armen gespreid. De twee vrienden omhelsden elkaar en klopten elkaar op de rug.

'Wat ben ik blij je weer te zien,' zei Jari. 'Veel te lang geleden.'

'Drie maanden. Ik was hier gisteren al, maar je zat binnen,' zei Thom met een knikje in de richting van de tempel.

'Het was mijn beurt om te waken, een heerlijke nacht.'

Thom trok zijn wenkbrauwen op, maar zei niets. Jari wist best hoe hij erover dacht en hij had geen zin om het plezier van zijn vriend te bederven. Beschermers waren even noodzakelijk als krabbenvangers en als Jari tevreden was, dan was Thom dat ook.

'Hoe gaat het bij de krabbenvangers?' vroeg Jari. Als kind waren ze vaak samen naar het kleine dorp getrokken, maar sinds hij beschermer was, was Jari er niet meer geweest.

'Prima,' lachte Thom.

'Ga je nog altijd op krabbenjacht in de grot?'

'Natuurlijk, de beste vangsten doe je daar en nergens anders.'

'Maar het is gevaarlijk.'

'Een hele nacht bij de Krachtige Steen zitten is volgens mij minstens zo gevaarlijk,' antwoordde Thom.

'Denk je?'

'Het risico dat je sterft van verveling is niet denkbeeldig,' zei Thom met een uitgestreken gezicht.

'Liever dat dan te verdrinken in een ondergelopen grot om vervolgens te worden opgepeuzeld door een gigantische krab.'

'Liever zo'n grote krab dan een hele bende kleintjes. Dan is het sneller voorbij.'

'Je bent gek, Thom.'

'Misschien wel, maar ik ben tenminste vrij.'

'Vrijheid zit hier,' zei Jari en hij legde zijn hand op zijn borst. 'Je mag me opsluiten, rechtopstaand in een hok van één bij één, en nog zal ik vrij zijn. Want mijn geest gaat waar hij wil. De ultieme vrijheid zit in mijn hart, Thom, en ik denk dat dat bij jou niet anders is.'

Thom keek zijn vriend zwijgend aan. Hij had er niet over willen beginnen, maar zijn vriend had het onderwerp aangesneden. Hij legde een arm over Jari's schouder en zei: 'Ben je vrij genoeg om vandaag wat tijd samen door te brengen?'

'Ik moet meteen terug naar de tempel…'

'Daar gaan we al!'

Jari gaf Thom een elleboogstoot.

'… voor de plaatsing van de stenen. Je wordt trouwens verondersteld daar aanwezig te zijn.'

'Al goed, al goed,' lachte Thom. 'Ik maakte maar een grapje, hoor.'

'Daarna ben ik heel de middag vrij om deel te nemen aan de festiviteiten. Vanavond moet ik wel terug naar het beschermersdorp om te waken bij de laatste steen.'

'Goed, ik zie je na de ceremonie,' zei Thom.

De vrienden tikten elkaar gelijktijdig tegen de schouder en gingen uit elkaar.

5.

Het leek wel of al het leven op het eiland zich concentreerde op die ene plek bij de tempel. Alle activiteiten werden gestaakt en zelfs de eetstalletjes stonden er verlaten bij. Iedereen was afgezakt naar het centrale plein, waar Abu, de opperbeschermer, aankwam met de tiende en de elfde steen. Hij klom van de kar en pakte de fluwelen doek weg die de amethisten aan het oog onttrok. De kristallen weerkaatsten het zonlicht en ontlokten bewonderende kreetjes aan de omstaanders. Jari en drie andere beschermers klommen op de kar en tilden de eerste steen niet zonder moeite op. Zodra ze achter Abu aan door de poort liepen, weerklonk de zachte muziek van vier fluitspelers. De eilanders volgden hen in dichte drommen. Iedereen wilde een glimp opvangen van de heilige plaatsing. Abu ging voor het altaar staan en liet een hoog, monotoon gezang horen. Het geluid van zijn stem weerkaatste tegen de muren van de tempel en dwong de toeschouwers tot een respectvolle stilte. Anders dan bij de vorige stenen plaatsten de beschermers deze zonder elkaar aanwijzingen te geven. Ondanks hun zware arbeid mochten ze het gewijde gezang niet verstoren. De massa maakte automatisch een doorgang toen ze terug naar de kar liepen.

Bewaakt door vier andere beschermers lag de elfde steen daar op hen te wachten. De fluitspelers begeleidden hen opnieuw door de poort en weer begon Abu te zingen terwijl ze de voorlaatste steen op zijn plaats zetten. Iedereen keek gespannen naar de Krachtige Steen, alsof ze verwachtten dat hij al zou reageren nu elf van de twaalf stenen hem omringden. Maar de steen deed niets, net zomin als hij dat bij alle voorgaande rituelen had gedaan; hij zou pas reageren als de cirkel van twaalf compleet was. Abu stopte zijn gezang en richtte zich tot de Krachtige Steen, zijn armen wijd geopend.

'O Krachtige Steen, beschermer van dit eiland, baken van hoop, aanvaard deze offergave en drink van de energie. Wij laten u rusten in afwachting van de voltooiing van uw voeding. Morgen is de grote dag waarop u weer zult stralen tot hoog in de hemel. Wij bieden u rust en sluiten de gewijde poort.'

Zonder daartoe te worden aangemaand, draaiden de eilanders zich om en verlieten ze in stilte de tempel. Daar mengden ze zich tussen diegenen die in de tempel geen plaats hadden gevonden. Wie verantwoordelijk was voor de stalletjes installeerde zich daar opnieuw en al gauw waren de eerste klanten present: het officiële startschot voor de festiviteiten was gegeven.

Vic staarde naar de zee. Hij zat op het strand met zijn rug naar het kleine krabbenvangersdorp en graaide achteloos

met zijn vingers in het fijne zand. In de kleine gemeenschap was het meestal al rustig, maar de stilte die hier tijdens de ceremonie heerste, vond hij hemels. Hij genoot
ervan om dan naar het strand te komen en zijn gedachten
toe te vertrouwen aan de aanrollende golven. De horizon
was een onveranderlijk strakke lijn; Vic vroeg zich af of het
ooit anders zou zijn. Volgens de profetie waren er andere
eilanden en zou er ooit een ontmoeting plaatsvinden.
Niemand kende de oorsprong van de profetie of hoe oud ze
was en nergens was er een toespeling op het tijdstip wanneer de ontmoeting zou plaatsvinden. Vic hoopte dat het
nog tijdens zijn leven zou zijn. Dat er andere eilanden
waren, daar twijfelde hij geen moment aan. Het bewijs had
hij met eigen ogen gezien. In gedachten ging hij bijna
twintig jaar terug in de tijd. Hij was pas achttien en
woonde nog maar een jaar in de kleine nederzetting bij de
zee. Ondanks zijn jeugdige leeftijd was hij de absolute uit-
blinker onder de krabbenvangers. Hij was de enige die de
branding durfde te trotseren om met zijn kano tot diep in
de krabbengrotten te varen. Hij had zich opgegeven om tijdens de ceremonie in het dorp te blijven. Net als nu was hij
op het strand gaan zitten, starend naar de horizon. Het
stipje was eerst onbeduidend geweest. Pas toen het groter
werd, kreeg Vic het in de gaten. De donkere stip bleek een
vuil, op verscheidene plaatsen gerafeld zeil dat aan een
kleine boot, nauwelijks meer dan een sloep, toebehoorde.
Vic herinnerde zich nog als de dag van gisteren hoe zijn
hart sneller was gaan slaan, zelfs nu nog verhoogde zijn

hartslag als hij eraan terugdacht. De golven brachten het schijnbaar stuurloze bootje naar de grotten, waar het een speelbal werd in de woeste branding. Geprikkeld door nieuwsgierigheid roeide Vic in zijn kano naar het bootje toe. Zijn verbazing en opwinding hadden niet groter kunnen zijn toen hij bij het kleine vaartuig aankwam. Op de bodem lag een jonge vrouw op haar rug. Ze had grote, dieppaarse randen onder haar gesloten ogen en haar gezwollen buik verried dat ze hoogzwanger was. Omdat het onmogelijk was het bootje alleen dwars doorheen de branding bij de grotten naar het strand te slepen, leidde hij het aan een touw de krabbengrot in. Diep in de grot was het water rustiger en slaagde hij erin de vrouw uit de boot te halen. Nooit zou hij de verschrikte blik vergeten toen ze haar ogen opende. Hij had de indruk dat ze iets wilde zeggen; ze keek hem aan en stak haar hand uit, waarin ze een kleine koker klemde. Voor ze iets kon zeggen verkrampte haar gezicht van pijn en slaakte ze een luide schreeuw. Ze greep naar haar buik en kermde van de pijn. Ontsteld realiseerde Vic zich dat de bevalling was ingezet. Daar zat hij, achttien jaar, helemaal alleen in een ontoegankelijke grot met een vrouw bij wie de weeën waren ingezet. Zijn enige ervaring met een geboorte was toen hij als jonge knaap zijn vader had geassisteerd bij het kalveren van de koeien. Maar Vic zette zijn angst opzij en deed wat hij kon om de bevalling in goede banen te leiden. Hij herinnerde zich de magie van het moment toen hij het kind in zijn handen had gehouden.

'Zin in bier?'

'Waarom niet?' grijnsde Thom. 'Jou terugzien is altijd een goede gelegenheid om iets te drinken.'

Thom liep al naar het dichtstbijzijnde stalletje, maar Jari pakte hem bij de arm en troonde hem mee, weg van het plein.

'Wat scheelt er? Je wilde toch iets drinken?'

'Ja, maar ik weet een betere plek.'

Jari liep recht naar het stalletje waar Enea volop bier tapte uit de grote vaten.

'Ze is zo mooi,' zei Jari. 'Ik ontmoette haar vanochtend en de zon begon meteen feller te schijnen. Zeg nu zelf, is ze geen plaatje?'

Thom knikte, hij zou de laatste zijn om te ontkennen dat Enea er goed uitzag. De twee vrienden wurmden zich tussen de feestvierders, mannen en vrouwen, die gezellig keuvelend van Enea's lekkernijen genoten.

'Twee biertjes graag, Enea,' zei Jari, trots dat hij zijn vriend kon laten zien dat hij de naam van het meisje kende.

Enea glimlachte toen ze hem herkende. 'Natuurlijk, Jari. Komt eraan.'

Jari gaf zijn vriend een elleboogstoot en knipoogde naar hem. Thom glimlachte geamuseerd terug.

'Alsjeblieft, Jari. En eentje voor jou, Thom. Laat het jullie smaken.'

Enea wendde zich al tot iemand anders en liet Jari verbaasd achter.

'Jij hebt… zij kent… hoe kan…?'

Thom lachte luid.

'Dacht je nu echt dat jij de enige bent die schoonheid opvalt? Ik heb haar gisteren geholpen met deze bekers.'

Thom tikte met zijn beker tegen die van Jari.

'Gezondheid. Op het weerzien!'

Jari had nog altijd die verbaasde blik in zijn ogen toen hij dronk.

'Dus vanavond ben je hier niet?'

Ze waren met een tweede kroes bier wat verder tegen een boom gaan zitten.

'Nee, de laatste steen wordt morgen gebracht en ik sta in voor de bewaking vannacht,' antwoordde Jari. 'Niet dat ook maar iemand het in zijn hoofd zou halen zo'n loodzware steen te stelen, maar de bewakingsopdracht is een traditie van de beschermers.'

'Wat doe je dan?'

'Eigenlijk niets,' gaf Jari toe. 'Ik sluit de deur van onze tempel en ga ervoor zitten. Ik blijf de hele nacht wakker en kom niet van de trap voor de poort af.'

'En hoe bewaak je de steen dan? Je hebt toch geen wapen?'

'Ik heb een stok,' zei Jari ernstig.

'Een stok? Om wat te doen? Oude vrouwen mee weg te jagen?'

'Het is een rituele stok, Thom.'

'Oké, als jij het zegt.'

'Waarom doe je toch altijd zo minachtend?' vroeg Jari geïrriteerd.

'O, maar dat doe ik helemaal niet. Ik heb best respect voor wat jullie doen. Ik lach alleen graag eens. Bij de krabbenvangers valt er niet veel te lachen, hoor. Iedereen werkt hard en nadien is iedereen zo moe dat ze geen energie meer hebben om nog grappen uit te halen. Dus als ik jou zie probeer ik mijn schade wat in te halen.'

'Dus omdat jij zo'n saai leventje hebt, gebruik je mij als pispaal?'

'Zoiets, ja,' lachte Thom, 'maar dat is alleen maar omdat je zo'n goede vriend bent.'

Jari glimlachte. 'Ja, natuurlijk.'

6.

Jari sprong in één soepele beweging van de kar en hielp Abu van de bok.

'Bedankt, Jari,' zei Abu. 'Op mijn leeftijd ben je niet te beroerd om een helpende hand aan te nemen.'

'Er is niets mis met uw leeftijd, Abu,' antwoordde Jari. 'Iedereen bewondert u. We zijn blij dat we in uw voetspoor mogen treden.'

'Heel vriendelijk van je om dat te zeggen, Jari, maar ik kan mijn jaren niet ontkennen. Vroeg of laat zal er toch aan opvolging gedacht moeten worden.'

'Daar wil niemand van ons zelfs maar over nadenken,' zei Jari beslist.

'Het leven brengt niet altijd wat je wilt, Jari. Dat zou je onderhand wel moeten weten.'

Jari knikte en boog het hoofd, alsof hij zich betrapt voelde op het verkondigen van een stommiteit. Voor hem was Abu hét symbool van de beschermers. Zolang hij zich kon herinneren, stond Abu aan het hoofd van de kleine gemeenschap en van het hele eiland; het was ondenkbaar dat er zonder hem beschermers konden zijn.

'In alles is er een tijd van komen en een tijd van gaan,' zei Abu, terwijl hij zich door Jari naar zijn hut liet begeleiden.

'Neem nu het voorbeeld van de Krachtige Steen. Morgen-avond, wanneer de laatste amethist geplaatst is, zal hij schitteren en zijn krachtige straal tot ver in de hemel stu-wen. De intensiteit van de straal zal iedereen doen geloven dat hij onverwoestbaar is, en toch zal diezelfde straal bin-nen drie maanden, wanneer de volgende overgang zich aan-kondigt, vervaagd zijn tot een flauwe afspiegeling van wat hij ooit was.'

'Maar we zullen de stenen opnieuw plaatsen en de straal zal zijn kracht weervinden,' zei Jari.

'Dat is waar, maar zal het dezelfde straal zijn, of is het dan gewoon een nieuwe lichtstraal die zijn weg naar de hemel zoekt?'

Jari dacht na over de vraag. Hij had een grenzeloze bewon-dering voor Abu.

'Het antwoord hierop is zelfs niet belangrijk, Jari. Wat telt is dat de straal even helder zal schitteren als de vorige. En stel dat hij erin slaagt een eiland aan te trekken, zoals de legende voorspelt, dan zullen we moeten concluderen dat hij zelfs beter was dan de vorige, ook al stelden we al onze hoop en vertrouwen in zijn voorganger.'

Abu pauzeerde even en keek de jonge beschermer aan. Hij hield van Jari op een manier zoals een vader van zijn zoon kan houden. Hij had meerdere malen gedroomd over de jongen; een teken dat hij belangrijk was.

'Er zal een tijd komen dat ik een stap opzij zet, al dan niet gedwongen.'

'Niemand zal u daar ooit toe dwingen,' zei Jari fel.

'Je hebt me ook niet horen zeggen dat *iemand* mij zal dwingen. Soms wijst het leven je een pad dat je niet had verwacht, dat je voorheen misschien zelfs niet kende. Het is dan zaak om je niet te verzetten tegen dat pad. We moeten dan voor ons uit kijken en het leven danken dat we een nieuwe uitdaging krijgen, een kans om ons eigen zijn te verrijken.'

Jari zuchtte; zoals altijd had Abu gelijk, maar het maakte hem onrustig. Een toekomst zonder Abu was nooit in hem opgekomen, ook al was het een logische gang van zaken. Abu gaf een gevoel van veiligheid, zijn wijsheid voelde als een beschermende cocon rond de gemeenschap van het eiland.

'Maak je geen zorgen, Jari,' zei Abu, die de onrust van de jongen aanvoelde. 'Ik ben hier nog en voorlopig ben ik niet van plan daar verandering in te brengen.' Hij trok zijn mondhoeken op in een bemoedigende glimlach. 'Kom, laten we naar de tempel gaan.'

Jari voelde zich altijd wat vreemd als niet alle stenen in de tempel stonden. Naast de grote Moedersteen stond nog maar één kleinere amethist en zelfs die zou binnen enkele uren weg zijn. Het was alsof de tempel niet volledig was, alsof de Moedersteen iets miste en een deel van haar energie werd afgesneden. Dat was ook zo: zonder de twaalf amethisten zou de Moedersteen aan kracht inboeten, en zou het eiland wegzinken. Zonder de Moedersteen zouden de amethisten op hun beurt hun energie verliezen. Het doorbreken van de energetische cirkel door het weghalen van de amethisten toonde de kwetsbaarheid van de oerkracht.

Abu liep naar het centrale altaar en legde zijn hand op de Moedersteen. Hij gebaarde Jari hetzelfde te doen.

'Voel je haar eenzaamheid?' vroeg hij.

Jari volgde het voorbeeld van Abu. Een golf van weemoed stroomde door hem heen.

'Vergeet nooit dat de stenen leven, Jari. Ze hebben een bewustzijn dat wij niet kunnen vatten. De Moedersteen voelt dat ze niet meer volledig is en haar kracht neemt nu al af. Als we morgen de laatste amethist wegnemen, zal haar energie tot een minimumpeil terugzakken. Als we de stenen na het voltooien van het ritueel niet terug zouden plaatsen, zou het eiland binnen drie dagen verdwijnen onder de golven.'

Jari keek zijn leermeester geschrokken aan. 'Zo snel?'

Abu knikte en liet de steen los. 'We worden niet voor niets beschermers genoemd, jongen,' zei hij.

In het hoofddorp bleven de deuren van de tempel gesloten, maar buiten was het feest in volle gang. De muziek van bamboefluiten overspoelde de pleinen en kronkelde door smalle steegjes. De trommels van hardhout, bespannen met ezelsvellen, bepaalden de hartslag van het dorp met hun opzwepende ritme. Overal werd gedanst en de drank vloeide rijkelijk. Iedereen liet zich gaan. Thom keek naar de dansende mensen bij de tempel. Hij vroeg zich af in hoeverre de uitgelaten geluiden daarbinnen te horen waren. Misschien sloot de tempel wel alle geluid buiten, zoals de krabbengrot dat deed wanneer hij daar alleen was. Hij stelde zich voor dat de beschermer die nu in de tempel zat, zich net zo voelde als hij in zijn grot.

'Dans je niet mee?'

De vrolijke stem verraste Thom. Hij draaide zich om en keek in het lachende gezicht van Enea. Heel even wist hij zich geen houding te geven en hij glimlachte alleen maar.

'Zowat het hele dorp gaat uit de bol en jij staat hier te dromen alsof het je allemaal niet interesseert,' zei Enea hoofdschuddend. 'Ik ben klaar met tappen voor vandaag. Tijd om wat mee te feesten.'

Ze trok Thom bij de arm mee naar de dansende mensen.

'Nee, ik ben er niet goed in,' sputterde hij tegen.

'Reden te meer om het te leren,' klonk Enea's antwoord.

Ze pakte zijn beide handen vast en begon met hem in het rond te draaien.

'Dansen is niet meer dan je laten gaan,' riep ze boven de muziek uit. 'Voel de vreugde! De rest komt vanzelf!'

Enea's theorie mocht dan heel eenvoudig zijn, Thom voelde geen vreugde in het dansen. Als een houten marionet sprong hij op en neer, zich pijnlijk bewust van zijn eigen onhandige bewegingen. Dansen was absoluut zijn ding niet, maar hij wilde Enea's handen niet loslaten. Het meisje trok zich niets aan van zijn hulpeloze blik en bleef maar dansen. Toen de muzikanten even pauzeerden, leidde ze hem hijgend mee naar een boom aan de rand van het plein. Ze gingen er met hun rug tegen zitten.

'Dat was leuk, vond je niet?' kirde ze.

Thom antwoordde niet.

'Dans je niet graag?'

Thom keek haar aan; hij vond het niet nodig te antwoorden op die overbodige vraag.

'Volgens mij is het een medicijn voor je ziel,' zei ze. 'Ik word er altijd vrolijk van. Het beurt me op als ik triest ben.'

Thom bleef haar aankijken met een blik waaruit weinig begrip sprak.

'Geloof je me niet?'

'Dat zeg ik niet…'

'Maar?'

'Maar wat?'

'Je kijkt naar me alsof je een eiland ziet komen aandrijven. Je vindt dat ik maar wat zit te raaskallen.'

'Nee, helemaal niet. Ik wilde je niet kwetsen. Sorry.'

'Thom, weet je wat het is met jou?' Enea trok een streng gezicht. 'Ik ken je eigenlijk nog helemaal niet, maar het lijkt wel of je niet weet hoe je moet feesten. Je bent zo… zo…'

'Ik … eh…'

'Zie je nou? Dat is precies wat ik bedoel. Praat jij alleen met je krabben, of wat?' vroeg ze terwijl ze met een knikje naar de krabbenschaar aan zijn riem wees.

'Ik ben wel vaak alleen,' gaf Thom toe.

'Dat is niet goed, Thom. Mensen zijn gemaakt om samen te zijn met anderen. Je moet lachen, plezier maken... Misschien moet ik je gewoon helpen.'

Thom keek haar vragend aan. Hij schrok toen ze de krabbenschaar lostrok. Ze kwam overeind en stond met een sprong buiten zijn bereik.

'Wil je hem terug?' vroeg ze plagend. 'Dan zul je hem moeten komen halen.'

Ze draaide zich om en zette het op een lopen.

Bang dat ze in staat was de krabbenschaar gewoon weg te gooien, zette Thom de achtervolging in. Hij zag er het plezier niet van in, maar de krabbenschaar was van hem. Enea stak het plein over en liep de straat in waar haar kraampje stond. Ze wurmde zich tussen een groepje mensen door voor ze een smalle steeg in schoot. Nu en dan keek ze lachend over haar schouder om zich ervan te vergewissen dat Thom bleef volgen. Voor haar was het niet meer dan een spel, vastbesloten als ze was om Thom te ontdooien. Thom stoof de steeg in en haalde haar in. Hij greep haar bij de schouder, maar met een soepele beweging rukte ze zich los en rende onder een boog door een smalle gang in. De gang kwam uit bij een huis, maar net ervoor sloeg ze rechtsaf een weide in. De weide helde naar beneden tot aan een rij bomen die het begin van een boomgaard vormden. Thom zat haar alweer op de hielen en wilde haar niet opnieuw laten ontsnappen. Met een snoekduik greep hij haar bij haar middel en sleurde haar zo tegen de grond. Samen rolden ze nog een heel eind verder, maar Thom loste zijn greep niet. Toen ze eindelijk tot stilstand kwamen, lag Thom boven op Enea, die schaterde van het lachen. Haar borst ging zwoegend op en neer terwijl ze onder hem uithijgde. Thom greep naar de krabbenschaar, maar ze hield hem plagend buiten zijn bereik.

'Geef terug,' zei Thom.

'Waarom zou ik? Je moet eerst iets doen,' zei Enea lachend.

Thom keek haar vragend aan.

'Een kus. Voor een kus krijg je je krabbenschaar terug.'

Weer grabbelde Thom naar de schaar, maar opnieuw was Enea te snel.

'Eerst een kus, Thom,' zei ze uitdagend.

Thom overwoog zijn kansen. Het zou niet moeilijk zijn om het meisje te dwingen de krabbenschaar te lossen; hij was immers veel sterker. Maar haar kracht zat in haar glimlach en in haar ogen. Hij gaf zich gewonnen en bracht zijn gezicht bij het hare om haar wang te kussen. Net toen hij zijn lippen tuitte, draaide ze heel snel haar hoofd, zodat de kus op haar lippen terechtkwam.

'Hm, lekker,' lachte ze. 'Deze is van jou, dacht ik. Niet?'

Thom pakte de krabbenschaar en rolde van haar af. Hij ging overeind zitten en bevestigde het ding weer aan zijn riem.

'Waarom deed je dat?' vroeg hij.

'Gewoon, ik vond het wel een leuke manier om je een zoen te ontfutselen.'

'Je bent gek, Enea.'

'Dat ga ik niet ontkennen,' lachte ze. 'Maar jij bent minstens even gek als je niet weet hoe je plezier kunt maken.'

Thom dacht aan de jaren dat hij met Jari was opgetrokken. Ze hadden veel plezier gemaakt en heel wat gekke streken uitgehaald. Hij moest toegeven dat hij inderdaad was veranderd.

'Maar toch vind ik je leuk,' voegde Enea eraan toe.

Jari zat op de stenen trap voor de tempel. Zijn vingertoppen gleden langzaam heen en weer over de schacht van de bamboestok die over zijn knieën lag. De stok had geen handvat, maar op de plaats waar normaal de handgreep zat, waren eeuwenoude tekens in het hout gegraveerd. De tekens vertelden over de eenheid tussen aarde en hemel, en benadrukten de nietigheid van de mens.

Jari keek naar de heldere sterrenhemel. De nederzetting was in diepe slaap gehuld; hij was de enige die wakker was. In het gehele universum was hij veel kleiner dan die fonkelende lichtpuntjes aan de hemel. Het hele eiland verzonk ongetwijfeld in het niets bij de grootsheid van die oneindige wereld daarboven. Abu had hem gesproken over het onbevattelijke, immense heelal dat steeds maar verder uitdijde, een verzameling van werelden die ze nooit zouden kunnen bereiken. Het idee dat er nog andere eilanden waren vond Jari soms al moeilijk te bevatten. Wat moest hij dan denken over werelden hoog daarboven?

De wacht houden was voor hem een uitgelezen gelegenheid om na te denken over de profetie. Ooit zou het baken een ander eiland aantrekken. De samensmelting zou een ommekeer in het leven van de eilanders betekenen. Hoe of wanneer dat samenkomen zou plaatsvinden, daar was geen enkele zekerheid over. Maar Abu was er rotsvast van overtuigd dat de legende waarheid bevatte en dat er andere eilanden waren. Wie was hij dan om dat in twijfel te trekken? Hij vroeg zich af hoe het leven er op die andere eilanden uitzag. Zouden ze ook tempels hebben? Hielden ze ook een baken in stand? Waren ze ook afhankelijk van kristallen en hadden ze ook beschermers? Zouden de bewoners eruitzien zoals hijzelf? Dat moest wel, het zouden vast ook mensen zijn. Jari voelde een lichte opwinding opkomen. Dat had hij altijd als hij over de profetie nadacht. Morgen zou het baken opnieuw met volle kracht schijnen. Misschien zou het deze keer wel een eiland aantrekken. Zijn handen omklemden de bamboestok. Op de een of andere manier gaf die hem rust.

7.

De kar met de laatste amethist reed het plein op. Jari zag de mensen juichend toestromen. Niemand wilde het ritueel missen. Meer nog dan de andere keren waren velen ervan overtuigd dat het baken deze keer een eiland zou aantrekken. Maar dat was de vorige keer ook zo geweest en over drie maanden zou het niet anders zijn. De kracht van het ritueel schuilde in de hoop die het vertegenwoordigde. Het leven op het eiland was goed en met uitzondering van de oude Jarus, een onverbeterlijke brompot, was iedereen tevreden. Toch hield de magie van de profetie de hoop in stand dat er ooit een samensmelting met een andere bevolkingsgroep zou komen.

De poorten van de tempel werden geopend en de kar kwam tot stilstand. Jari hielp Abu van de bok en de menigte zweeg. Samen met drie andere beschermers tilde Jari de amethist van de kar. Toeschouwers rekten zich en stonden op hun tenen om een glimp van de steen te kunnen opvangen terwijl hij naar binnen werd gedragen. Een zee van mensen vloeide in het zog van de steen de tempel binnen. De stilte was compleet toen de vier beschermers de amethist op zijn plaats zetten. Zodra de constellatie compleet was, ging er een zindering door de tempel. Abu liep naar het altaar en de aanwezigen lieten zich op één knie zakken, de blik omlaag gericht. Abu knielde voor het altaar. Nederig boog hij het hoofd, toen keek hij op naar de Krachtige Steen. Hij kwam overeind en spreidde zijn armen. Zijn handen trilden.

'O Krachtige Steen, beschermer van dit eiland, baken van hoop, ons offer staat om u heen. Niet om u in te sluiten, maar om u te voeden met de hoop van elke eilander. Aanvaard het voedsel van de stenen en zend uw straal hoog in de hemel. Roep krachtig en vertel dat wij hier zijn, wachtend op wie komen wil. Wij eren uw kracht en buigen het hoofd voor uw grootsheid. Wij zijn de uwen en met uw licht zenden wij onze hoop de hemel in. Straal voor ons en neem onze hoop met u mee. In uw licht zullen wij kracht vinden.'

Abu liet zijn armen zakken en alsof hij op dat teken had gewacht, begon de steen te gloeien. De zindering werd sterker en iedereen voelde nu de energie die heel snel werd opgebouwd. Toen de pulserende straal de lucht in schoot, dwars door de open koepel, konden vele eilanders hun opwinding niet meer onderdrukken; opgewonden kreetjes van bewondering schoten door de massa heen. Abu begon weer te zingen, alsof hij met het lied een boodschap mee naar boven kon sturen.

Thom keek naar de lichtstraal die het gebouw verliet. Veel mensen op het plein slaakten verrukte kreten en keken met open mond toe, maar Thom snapte niet waar alle drukte voor diende. Om de drie maanden gebeurde hier exact hetzelfde en nog nooit was er iets uit voortgekomen. Thom was geen ongelovige, en hij zou nooit beweren dat er geen andere eilanden waren en ook niet dat ze niet tot bij hen konden komen. Maar samen met de anderen telkens rotsvast geloven dat het deze keer echt zo zou zijn, kon hij niet. Hier en daar hoorde hij zeggen dat dit de krachtigste straal ooit was, maar die bewering hoorde hij elke keer. Mensen geloofden wat ze wilden geloven, zo zag hij het.

Een klinkende zoen op zijn wang haalde hem uit zijn overpeinzingen. Enea keek hem stralend aan.

'Vind je de nieuwe straal niet geweldig? Als deze geen eiland aantrekt, dan weet ik het niet meer.'

Thom fronste zijn wenkbrauwen; hij vroeg zich af of ze het meende.

'Wat sta je me nou aan te staren? Je kijkt alsof je er niets van gelooft. Je weet toch dat vrouwelijke intuïtie heel sterk kan zijn?'

'Ach Enea, ik heb al zoveel vrouwen horen zeggen dat de straal een eiland zal aantrekken, elke keer opnieuw. Hoe zat het dan met hún vrouwelijke intuïtie?'

'Dat weet ik toch niet? Ik kan alleen zeggen wat ik nu voel. Maar je hoeft me niet te geloven, hoor. Je zult het wel zien,' lachte ze. 'En als ik gelijk heb, moet je me een kus geven.'

Thom glimlachte. 'Natuurlijk.'

'Maar nu is het tijd om te feesten. Kom, ik heb zin in een heerlijke kroes bier.'

'Bier? Jij?'

'Waarom niet? Denk je misschien dat ik niet kan drinken? Het is feest vandaag, Thom, en jij en ik gaan samen bier drinken.' Ze pakte hem bij de arm en sleurde hem mee.

Jari keek vol bewondering naar de felle lichtstraal die de hemel in schoot. Zelfs bij daglicht was hij mijlen hoog zichtbaar. Meer nog dan wat hij kon zien, vulde de energie die uit de straal voortkwam hem met ontzag. Bij elk overgangsritueel werd hij overweldigd door de gigantische krachten die door de Krachtige Steen gegenereerd werden, maar deze keer had hij het gevoel dat er iets extra's was. Hij kon niet benoemen wat hem dat gevoel gaf, en ook niet beschrijven wat hij dan precies voelde, maar iets was anders dan anders. Heel diep vanbinnen voelde hij dat er iets te gebeuren stond. Hij keek naar Abu op zoek naar bevestiging, maar die zat geknield, met het hoofd gebogen. Toen kwam de opperbeschermer overeind en hief de armen, het teken voor de andere beschermers dat ze ook mochten opstaan.

Het gerstenat sijpelde langs Enea's kin terwijl Thom verbaasd toekeek hoe ze de kroes in één keer leegdronk. Met een tevreden zucht en een ondeugende flikkering in haar ogen zette ze de beker weg.

'Wat vind je daarvan, Thom?'

'Gebruikte je daarvoor ook vrouwelijke intuïtie?'

Enea liet een luide boer en begon te lachen. 'Nee, dat was een stukje van mijn mannelijke kant. Ik zit vol verrassingen, weet je.'

Thom trok zijn wenkbrauwen op en glimlachte breed. 'Je bent gek, Enea.'

'Dat ga ik niet ontkennen,' herhaalde ze haar woorden van de vorige dag, terwijl ze met een gebaar van haar hand om een nieuwe kroes bier vroeg. 'Vandaag is een dag om te vieren. Om ernstig te zijn en te werken komen er nog genoeg andere dagen.'

Toen Jari zich bij hen voegde, was Enea lichtjes aangeschoten.

'Jari!' riep ze en zonder omhaal wierp ze zich in zijn armen en drukte hem een kus vol op de mond.

Verbouwereerd keek Jari naar Thom, die gewoon glimlachte en zijn schouders optrok.

'Kom,' zei Enea vrolijk, terwijl ze Jari meetroonde. 'Ik bestel een kroes bier voor je.'

Die ene kroes werden er drie en ze klonken op hun drieën.

'Met deze dronk maak ik onze vriendschap officieel,' zei Enea met een quasi-ernstig gezicht. 'Ik beloof dat ik voor eeuwig en altijd jullie vriendin zal zijn, of toch tenminste tot ik doodval.'

De twee vrienden lachten.

'En? Komt er geen antwoord?'

'Op onze vriendschap,' zei Jari.

'Op onze vriendschap met het gekste meisje op het eiland,' voegde Thom eraan toe.

'Zo mag ik het horen, vrienden,' lachte Enea en ze zette de beker aan haar lippen.

'Dat jij me nooit eerder bent opgevallen, Jari… zo'n mooie jongen,' kirde Enea.

Ze waren met zijn drieën naar het strand afgezakt, weg van het feestgewoel en vooral weg van het bier. De twee vrienden hadden aan één blik genoeg gehad om elkaar te begrijpen en hadden Enea meegevoerd naar het strand voor ze helemaal lazarus was. Ze keken uit over de zee.

'Dat komt omdat hij vroeger zo lelijk was als de nacht,' lachte Thom.

'Of misschien omdat mijn ouders geen paalwoning hadden.'

'Maar mij hebben jullie blijkbaar ook nooit opgemerkt. Geen van jullie herkent me.'

'Hoe oud ben je, Enea?' wilde Jari weten.

Enea keek hem doordringend aan en wees bestraffend met haar wijsvinger naar het puntje van zijn neus.

'Zoiets vraag je niet aan een dame.'

'Een dame gaat ook niet halfdronken met twee jongens naar het strand,' antwoordde Jari.

Enea begon te giechelen.

'Als je het zo graag wilt weten: ik ben zestien.'

'Dat betekent dus dat je veertien was toen wij het dorp verlieten,' zei Jari.

'En wij hielden ons echt niet bezig met meisjes van veertien, hoor,' zei Thom.

'Met meisjes van zestien wel?'

Jari bekeek haar van top tot teen en liet toen zijn blik onbeschaamd op haar borsten rusten.

'Tja,' zei hij.

Enea wierp hem een handvol zand toe en kwam dreigend overeind.

'Ik dacht dat beschermers meer manieren hadden,' zei ze.

Ze deed een stap in zijn richting, maar Jari rende al weg. Joelend zette Enea de achtervolging in. Maar het halfdronken meisje was helemaal geen partij voor Jari en na vijftig meter bleef ze met de handen op de knieën staan.

'En je bent laf ook,' hijgde ze gespeeld boos. 'Ik wed dat je vriend met de krabbenschaar meer fatsoen heeft.'

Jari kwam lachend op haar af.

'Maar toch krijg je een kus van me,' lachte Enea en ze drukte een kus op zijn mond.

Thom was blijven zitten en keek naar het tafereel dat zich voor zijn ogen afspeelde. Hij schrok van de korte steek van jaloezie die door hem heen ging. Met een geërgerd gebaar schudde hij het gevoel van zich af.

8.

Thom keek uit over de zee. Het zand onder hem was nog vochtig. Pal voor hem ging de zon haar dagelijkse strijd aan om de nacht te verjagen. Met een flauwe, oranje gloed beloofde ze de wereld te koesteren in haar warmte. Links van hem priemde de violette lichtstraal van de Krachtige Steen door de donkere lucht. Het feest was achter de rug en heel het eiland lag te bekomen van de uitspattingen. Thom had zijn sarong netjes opgevouwen en in de kist opgeborgen en was naar het strand gekomen om zijn geest tot rust te brengen. Steeds opnieuw zag hij Enea Jari kussen en dat beeld bracht hem in de war, ook al kon hij niet zeggen waarom. Hij mocht haar graag, maar was hij verliefd op haar? Dat dacht hij niet. Maar waarom had die steek van jaloezie hem dan zo getroffen? Waarom kon hij dat ene, onbeduidende beeld niet uit zijn hoofd zetten? Enea was dronken geweest; de kus had waarschijnlijk niets te betekenen. Ze hadden Enea veilig thuis afgezet en hadden toen zelf afscheid genomen. Het zou weer drie maanden duren voor ze elkaar weerzagen. Ook dat viel Thom zwaar. Het weerzien met zijn vriend was altijd heel intens en bracht het gevoel van vroeger naar boven. Nu keek hij weer tegen drie eenzame maanden aan. Thom vroeg zich af of dit nu het scenario van zijn verdere leven was. Er moest toch meer zijn dan krabben vangen en om de drie maanden feest vieren?

'Ik zie een vertroebelde geest.'

Vic kwam naast Thom in het zand zitten en keek mee naar de opkomende zon. Zo bleven ze een poos zwijgend zitten. Het was Vic die na een tijdje begon te praten.

'Ze doet altijd hetzelfde en ziet er altijd hetzelfde uit. Toen ik zo oud was als jij zat ik hier ook vaak naar de zon te kijken. In al die tijd is ze niets veranderd. Maar kijk eens naar mij. De eerste rimpels doorgroeven mijn gelaat al. Mijn jeugd valt van me af als een herfstblad van een boom. We worden elke dag ouder, maar de zon trekt zich daar niets van aan. Zij belooft om altijd opnieuw op dezelfde plek op te komen om ons te verwarmen.'

Thom zei niets en ook Vic deed er opnieuw het zwijgen toe. Voor even leek het alsof ze daar altijd hadden gezeten en dat ook altijd zouden blijven doen, alsof ze deel uitmaakten van de zonsopgang.

Thom draaide zijn hoofd en keek zijn oudere vriend aan.

'Denk jij dat het baken ooit een eiland zal aantrekken?'

'Het is gewoon een kwestie van tijd,' zei Vic. 'Daar ben ik zeker van.'

'Ze zeggen dat het baken sterker is dan anders. Sterk genoeg om een eiland aan te trekken,' zei Thom.

'Dat heb ik eerder gehoord. Beweren ze dat niet elke keer?'

Thom knikte zwijgend, ook al bleef Vic voor zich uitstaren.

'Soms vraag ik me af of ik het ooit zal meemaken dat er een ander eiland komt.'

'Er zijn altijd dingen die verborgen blijven in het leven, tot je er op een dag niet meer omheen kunt,' zei Vic.

Hij keek nu naar Thom en hij overwoog meer te zeggen, maar toen draaide hij zijn hoofd weer naar de zee. Hij besloot dat het er nu niet het moment voor was.

Thom zag dat en aanvaardde het. Hij had allang geleerd dat Vic geen praatvaar was en dat het geen zin had hem iets te willen ontfutselen wat hij toch niet kwijt wilde. Hij kwam overeind en liep zwijgend naar zijn kano. Bij het aanbreken van de dag krioelde het in de grotten van de krabben.

De peddel, de drie werpspiesen, de netten en het touw lagen in het bootje, net zoals hij ze vier dagen geleden had achtergelaten. Diefstal kende dit eiland niet. Thom liep tot aan zijn knieën het water in en sprong met een soepele beweging in de kano. Hij greep de peddel en voer met krachtige slagen de zee op.

Op het strand was Vic inmiddels overeind gekomen. Hij keek de kleiner wordende kano na met een dromerige blik in zijn ogen. De jongen had er geen flauw idee van. Hij vroeg zich af of de tijd er ooit rijp voor zou zijn om het hem te vertellen. Maar die beslissing lag niet bij hem, wist hij. Alleen Abu kon bepalen wanneer het tijd was.

De stroming was sterk en bij de grotten was het zeewater één grote, kolkende massa, maar Thom kende deze plek door en door. Hij wist waar de rotsen net onder het wateroppervlak zaten en stuurde zijn kano behendig om de hindernissen heen. Zijn spieren spanden zich terwijl hij zijn krachten mat met de eeuwig beukende zee. Hij had veel respect voor de zee en wist dat die oneindig veel sterker was dan hij, en toch twijfelde hij er niet aan dat hij ook nu weer de strijd zou winnen. Kracht was niet het enige wat tot de overwinning leidde; behendigheid en inzicht waren minstens even belangrijk en op dat gebied versloeg hij de gigantische watermassa moeiteloos. Een rif van rotsen en koraal vormde een perfecte barrière waartegen de golven te pletter sloegen. Woest van onmacht keerden ze dan om en botsten tegen de nieuwe aanrollende golven in een dans die eeuwig duurde. In die spetterende en schuimende chaos was het zaak de kano naar die ene plek te sturen waar het rif onderbroken werd, alsof iemand er lang geleden een twee meter brede poort in had uitgehakt. Thom had zich al vaak afgevraagd of de opening op een natuurlijke manier ontstaan was of door mensenhanden was gemaakt. Ooit had hij die vraag aan Vic gesteld, maar die wist het ook niet. De opening was er altijd al geweest en maakte het mogelijk om de grotten binnen te varen zonder tegen de rotsen te pletter te slaan. Eenmaal de kolkende massa achter hem gelaten, werd hij zoals altijd overvallen door het contrast met het rustige water waarover hij de donkere grot in voer. Het geluid van de woeste branding werd weerkaatst door de grillige gewelven, maar het water zoog alles op in een eeuwige rust.

Daar waar de rotsen boven het water uitstaken, krioelde het van de blinkende, zwarte krabbenlichamen, alsof ze al die tijd op de komst van Thom hadden gewacht. De kleine krabben lieten zich bliksemsnel in het water vallen zodra de kano dichterbij kwam, maar de grotere exemplaren bleven zitten en keken hem met hun kleine, boven hun lichaam uitstekende ogen uitdagend aan, alsof ze bereid waren ter plekke uit te vechten wie de sterkste was. Thom twijfelde er niet aan dat hij het gevecht zou winnen, net als altijd, maar elke dag opnieuw zouden andere grote krabben de uitdaging aangaan, het feit negerend dat hun voorgangers geëindigd waren aan de lange spies van de jager. Thom voelde hoe de oogjes hem volgden terwijl hij aan land ging. Hij trok zijn kano half op de rotsen, zodat hij niet kon afdrijven. Op zijn blote voeten balanceerde hij op de rotsen, zijn spies half geheven. Hij koos zijn prooi altijd op voorhand uit. In de kleintjes was hij niet geïnteresseerd. Om die te vinden hoefde je niet naar de grotten te komen. Dansend op de rotsen kwam hij dichterbij. Een grote krab schoof een tiental centimeter opzij, alsof ze wist dat de jager haar viseerde. Een kleinere krab kroop over de grote heen en verdween in het water. Thom glimlachte: zijn slachtoffer had het begrepen en wilde de tweestrijd aangaan. Hij hield zijn adem in en hief zijn werpspies. Op het laatste moment koos de grote krab voor de vlucht naar de veilige diepte van de zee, maar het was al te laat. Met een dodelijke precisie suisde het wapen door de lucht en raakte het krabbenlijf precies in het midden. Het pantser werd doorboord en de scherpe punt boorde zich door het zachte vlees om er bij de buik weer uit te komen. Thom pakte de spies op en keek goedkeurend naar zijn vangst. De krab had een doorsnede van zo'n dertig centimeter; ze zou prima vlees opleveren. Hij ging wat verder de grot in en legde zijn buit op het droge, klaar om een nieuwe prooi uit te zoeken.

De hele ochtend bleef Thom in de weer, het spel van jager en prooi eindeloos herhalend. De afloop was telkens dezelfde en de berg gevangen krabben groeide aan. Hij had dertig exemplaren gevangen toen hij besloot dat het genoeg was. Hij pakte wat takken van een stapel die hij diep in de grot te drogen had gelegd. Regelmatig bracht hij nieuw hout mee om zijn voorraad aan te vullen. Hij maakte een vuurtje en toen de vlammen groot genoeg waren, spietste hij een van de krabben aan een stok waaraan hij een punt had geslepen. Hij hield het dode dier net boven het vuur en draaide het om en om, als een speenvarken aan een spit. De geur kwam zijn neusgaten binnen en bracht het water in zijn mond. Toen de krab gaar was, pakte hij de schaar van zijn riem en knipte het pantser open om bij het vlees te kunnen. Het sap liep langs zijn kin terwijl hij zijn prooi met veel smaak verorberde. Dit ritueel hoorde voor hem bij elke vangst, hoe klein of hoe groot die ook was. Het was zijn manier om de zee te bedanken voor het voedsel dat ze hem en het eiland schonk. De resten van de krab gooide hij in het water.

Thom deed de overige krabben in het net dat hij bij zich had en maakte dat met het touw vast aan zijn kano. Tijd om terug te gaan. Hij duwde de kano terug in het water en sprong erin. Het net dreef zo'n twee meter achter hem aan, ver genoeg om hem niet te hinderen en dichtbij genoeg om niet achter de een of andere rots te blijven haken. Toen hij de natuurlijke poort door gleed, werd hij omringd door het kolkende water. De schuimkoppen spatten hoog op en het leek alsof de brullende zee haar vlees terug eiste. Thom glimlachte terwijl zijn gespierde armen de peddel in en uit het water brachten. Hij hield van dit spel: hij en de zee. Ooit zou hij te oud zijn, te zwak om deze dans nog uit te voeren, maar nu genoot hij van zijn jeugdige kracht en van de machteloosheid waarmee de woeste golven hem te pak-ken probeerden te krijgen.

9.

De twaalf amethisten stonden weer op hun plaats rond de Moedersteen. Jari genoot van de kracht die de tempel vulde. Ver weg van alle drukte voelde hij zich het best. Hier, diep in het woud, kon hij zich overgeven aan de dagelijkse routine van de beschermers: mediteren, leren, oefenen.

Bij het verlaten van de tempel pakte hij de rituele stok die hij op de voorziene plaats naast de deur had gezet. Het was tijd voor zijn training.

Abu zat met gekruiste benen op een klein podium naast het oefenterrein. Dikke bamboestokken bakenden de plek af waar de eeuwenoude rituele krijgskunst werd beoefend. In het mulle zand leerden de jonge beschermers om te gaan met de rituele stok, die veel meer was dan een status-symbool. Het eiland kende geen geweld en de gevechten hadden eerder het karakter van een energieke dans. Volgens Abu waren de technieken een overblijfsel van de tijd waarin de eilanden één waren geweest. Eén wereld, omringd door water. Wat de afsplitsing had veroorzaakt, was verloren gegaan in de tijd. Geen enkele eilandbewoner had ook maar de flauwste herinnering aan die wereld, maar sommige gebruiken waren blijven bestaan. De rituele krijgskunst was er daar één van.

Het was jaren geleden dat Abu zelf nog tussen de bamboestokken had gestaan. Zijn hoge leeftijd verhinderde hem de soepele bewegingen te maken die nodig waren om de rituele stok te hanteren. Toch miste hij bijna nooit een training. Met zijn blik volgde hij elke beweging en zijn aanwijzingen verrieden dat hij ooit de allerbeste was geweest.

'Richt je blik op zijn voorhoofdchakra, Jari,' zei Abu. 'Je ogen verraden je volgende zet. Door je op de voorhoofdchakra van je tegenstander te concentreren, leer je zijn bewegingen te voorzien. Geen enkele spier beweegt voor de beweging eerst in gedachten gemaakt is, hoe snel ook.'

Vandaag was Micha Jari's oefenpartner. Micha was vierentwintig en al veel langer beschermer dan Jari. De beweging vertrok onder Micha's oksel. Met een soepele polsbeweging draaide hij de stok onder zijn rechterarm uit. Jari verwachtte een aanval naar zijn flank en zette zijn stok in verdediging. Maar Micha bracht zijn stok in één vloeiende beweging naar zijn andere hand, hief hem naar zijn rechterschouder en liet hem met een knik van zijn pols op het hoofd van Jari terechtkomen. De klap bracht Jari uit evenwicht en hij wankelde achteruit. De volgende slag was op zijn schouder gericht, maar Jari wist zijn stok op tijd op te tillen om de slag te pareren. Micha bleef in een perfecte dans naar Jari toe bewegen en die wist de slagen maar net af te weren. Hij werd steeds dichter naar de bamboestokken gedreven. Als hij een voet buiten het afgebakende terrein zette, was het gevecht voorbij. Micha hief zijn stok nu met twee handen en richtte midden op Jari's hoofd. Jari weerde de slag af en verplaatste zich met een vloeiende koprol terug naar het midden van het terrein.

'Je kijkt naar zijn ogen en naar zijn armen,' zei Abu. 'De voorhoofdchakra, alleen de voorhoofdchakra.'

Jari probeerde de raad op te volgen, hoewel het moeilijk was de zwiepende stok te negeren. Hij probeerde zich op het middelpunt net boven Micha's ogen te concentreren en kreeg een klap tegen zijn schouder. De volgende klap bezorgde hem een gloeiende pijn in zijn dijbeen. Paniek probeerde zich van hem meester te maken. Hij was niet snel genoeg in het ontleden van de innerlijke bewegingen van zijn tegenstander. Een klap tegen zijn ribben gooide hem op de grond.

'Op je benen, Jari. De voorhoofdchakra, niets anders.'

Hijgend kwam Jari opnieuw overeind. Hij verbeet de pijn en deed wat Abu zei. Heel even wachtte Micha af. Hij moest zelf ook even op adem komen. In meditatieoefeningen had Jari geleerd zich op chakra's te concentreren en de bewegingen erin te voelen, maar midden in de actie en de pijn viel het hem zwaar. In één lange in- en uitademing herstelde hij de energie in zijn lichaam. Hij kneep zijn ogen een beetje samen terwijl hij zich op de voorhoofdchakra van zijn tegenstander concentreerde. Toen voelde hij het. De impuls vertrok in Micha's hoofd en vloeide naar zijn rechterschouder. Nog voor de uithaal vertrok, rolde Jari onder de arm van Micha door en met een voet en één knie op de grond mepte hij met zijn stok tegen de knieholtes van zijn tegenstander. Terwijl Micha door zijn knieën zakte, kwam Jari helemaal overeind, tolde om zijn as en sloeg tegen Micha's nek.

'Een dodelijke slag. Bravo!'

Abu klapte in zijn handen. Hij keek Jari tevreden aan. Micha kwam overeind en boog het hoofd naar Jari: hij gaf zijn nederlaag toe.

'Je werd overmoedig, Micha. Je dacht dat Jari er niet in zou slagen je chakra te lezen en daardoor verzuimde je zelf naar de zijne te kijken. Dat heeft je je leven gekost,' zei Abu.

Deze keer boog Micha het hoofd naar Abu. Hij wist dat de opperbeschermer gelijk had. Verlies komt altijd voort uit onderschatting van de tegenstander.

Abu kwam overeind en nodigde Jari uit een eindje te gaan wandelen.

'Weet je waarom je leert vechten, Jari?'

Jari gaf niet meteen antwoord. Hij wist dat elke vraag van Abu bedoeld was om hem te doen nadenken. Snelle antwoorden lagen niet in de aard van de beschermers.

'Het is een ritueel en het garandeert de veiligheid van de stenen... en met die van de stenen, ook die van het eiland.'

'Zouden de stenen minder veilig zijn als je niet kon vechten?'

Jari wist dat Abu's vraag terecht was. Geweld en diefstal kwamen niet voor op het eiland. Niemand begeerde het bezit van een ander en iedereen wist dat de stenen belangrijk waren. De bescherming was een ritueel gebeuren. Meer dan eens had Jari zich afgevraagd of het bewaken van de stenen noodzakelijk was.

Abu wachtte niet op een antwoord. 'Het gevecht traint in de eerste plaats de snelheid van je geest. Door sneller te denken, vermijd je de pijn van de harde bamboe tegen je lichaam. Door je geest te koppelen aan de voorhoofdchakra van je tegenstander leer je hoe je een geest moet lezen, hoe je intenties moet interpreteren. De beschermer kiest voor een leven van constant leren, Jari. De belangrijkste wetenschap is dat je altijd net iets te weinig weet. Als je je daarvan bewust bent, blijft je geest scherp en hou je je lichaam alert. De eenheid tussen beide maak je sterker door te oefenen in het gevecht.'

'Ik zal nooit uw wijsheid bezitten, Abu.'

'En waarom niet? Denk je dat ik de limiet van het weten heb bereikt?'

Abu keek Jari doordringend aan en schudde zijn hoofd.

'Daarvoor zal ik niet lang genoeg leven, jongen. Ik zal net iets te weinig weten en ik hoop alleen maar dat ik na mijn dood de kans zal krijgen om verder te leren.'

'Na dit leven gaan we toch gewoon naar een andere toestand om daarin verder te leven en te evolueren?' vroeg Jari.

'Dat verkondigen we, omdat we dat geloven. Maar niemand heeft zich ooit de moeite getroost terug te komen om het ons te vertellen.'

Jari keek zijn leermeester onzeker aan. Dat Abu de grond van zijn geloof onder zijn voeten wegmaaide, kon hij moeilijk begrijpen.

'Je staat toe dat ik twijfel zaai, omdat je niet verankerd bent in je geloof, Jari,' zei de oude man rustig. 'Net als een strijder heb ik je uit balans gebracht. Jij moet ervoor zorgen dat je niet valt, en als je dat toch doet, kom je zo vlug mogelijk weer overeind.'

'Maar… gelooft u dan zelf niet dat we verder leven?'

'Heb ik dat beweerd?'

Jari moest toegeven dat dat niet het geval was.

'Ik kan niet weten of ik nog Abu zal zijn en of het evolueren waar we in geloven gebaseerd zal zijn op verder leren. Je zou denken dat je de beste strijder wordt door je bewegingen te verfijnen en te versnellen, maar dat is niet zo. Je bent pas onoverwinnelijk als je elke gedachte van je tegenstander kunt lezen voor hij ze kan uitvoeren. Toen jij je eerste les met de rituele stok kreeg, had je nooit gedacht dat de overwinning bepaald zou worden door mentale kracht en snelheid.'

Dat moest Jari toegeven. Hij had met veel bewondering naar de gevechten van de beschermers gekeken en ernaar verlangd dezelfde kracht en souplesse te kunnen uitstralen. Nu besefte hij dat die eigenschappen niet volstonden.

'Zo kunnen we nu ook onmogelijk weten hoe het leren zal

evolueren. Misschien heeft het zelfs niets met weten te maken.'

Jari liet Abu's woorden bezinken en probeerde ze een plaats te geven in zijn manier van denken. Hij was het al gewend dat de oude leermeester hem steeds verplichtte om zijn denkkader aan te passen.

'Ooit was ik onoverwinnelijk tussen de bamboestokken,' zei de oude man. 'Nu betreed ik het zand zelfs niet meer. Als alleen de fysieke overwinning het doel was, zouden dan niet al mijn uren van training verloren tijd zijn geweest?'

Ze liepen een tijdje verder in stilte. Het zachte ruisen van de bladeren en het fluiten van de vogels waren de enige geluiden.

'Alles is evolutie, Jari. Onthoud dat. Alles is evolutie, en daardoor is er een zin in alles wat gebeurt.'

10.

Thom laadde zijn vangst van de dag in het grote net, dat hij met een touw aan zijn kano vastbond. De zee was hem goed gezind geweest. Verderop, midden op een rotsblok dat langs alle kanten door water omringd was, zat een grote krab hem aan te staren. Het zwart glimmende dier was een prachtexemplaar en gaf de indruk hem uitdagend aan te kijken. Thom twijfelde. Hij had al een krab geroosterd en zo de vangst voor die dag afgesloten, maar een exemplaar van zulke enorme afmetingen had hij hier nog nooit gezien. Hij pakte een werpspies waar een touw van drie meter aan vast hing en maakte de lus aan het uiteinde van het touw vast aan zijn pols. Soepel liep hij over de rotsen en overbrugde de ondergelopen stukken met afgemeten sprongen. De krab bleef roerloos zitten, terwijl de jager dichterbij kwam. De laatste rots was twee meter van het dier verwijderd. Thom bleef staan en keek vol bewondering naar de krab. Hij was gigantisch.

Van Vic had hij verhalen gehoord over reuzenkrabben, maar het was de eerste keer dat hij er zelf een zag. De werpspies jeukte in zijn hand en hij draaide de schacht om en om. Toch twijfelde hij of hij hem moest werpen. Waarom merkte hij de krab pas op nadat hij de vangst voor de dag had afgesloten? Was het wel goed om hem te doden? Het was belangrijk om in harmonie te blijven met de zee. Ze hadden een stilzwijgende afspraak met elkaar. Thom liet de werpspies zakken en alsof de krab daarop had gewacht, bewoog hij zich langzaam het water in. Thom bleef nog een tijdje naar de plek staren waar het dier was verdwenen. Hij was blij met zijn beslissing; het was beter zo.

Hij wilde teruggaan naar zijn kano, toen hij de stip opmerkte die het eeuwig strakke beeld van de horizon doorbrak. De donkere stip zat als een bultje op de horizontale lijn tussen water en lucht. Thom knipperde een paar keer met zijn ogen, maar de stip ging niet weg. Zijn hartslag versnelde en zijn ademhaling werd onrustig. Tegelijkertijd voelde hij hoe zijn maag begon te draaien. Er waren maar twee mogelijke verklaringen: een schip… of een eiland! Welk van de twee het ook was, dat betekende dat er andere mensen waren. Het baken had gewerkt!

Thom haastte zich over de rotsen naar zijn kano en begon als een gek te roeien. Hij was zo opgewonden, dat hij bijna omsloeg in de kolkende massa voorbij de opening in het rif. Met veel moeite stuurde hij bij en wist de kano overeind te houden. Zo snel hij kon, peddelde hij naar het strand. Zijn armspieren brandden. Hij trok de kano op het natte zand en zonder zich om het volle net te bekommeren, rende hij naar het dorp.

Vic zat voor zijn hut een net te herstellen en keek verrast op toen hij Thom zag komen aanrennen. Thom moest naar adem happen voor hij iets kon zeggen.

'Vic... de horizon... een stip... kom.'

Hij pakte Vic bij de arm en trok hem overeind.

'Ho ho, rustig, Thom. Wat is er aan de hand?'

Thom probeerde zijn ademhaling onder controle te krijgen. Een paar nieuwsgierige krabbenvangers kwamen erbij staan.

'Ik heb iets gezien aan de horizon,' zei Thom, iets rustiger nu. 'Het komt dichterbij.'

Vics ogen gingen wijd open.

'Weet je het zeker?'

De mannen die mee stonden te luisteren, hadden niet meer informatie nodig.

'Er komt iets! Naar het strand!'

Hun roep werd herhaald en al gauw rende elke bewoner van het kleine dorp naar het strand. De opgewonden kreten waren niet van de lucht.

Vic staarde naar de langzaam groter wordende stip. Zijn gezicht stond ernstig.

'Het is geen schip, Thom,' zei hij.

'Een eiland! Het is een eiland!' riep iemand.

Iedereen begon te juichen. Sommigen zwaaiden wild met de armen heen en weer, hoewel de stip nog mijlenver weg was en ze van die afstand onmogelijk gezien konden worden.

'Ik ren naar het hoofddorp,' zei iemand. 'Iedereen moet dit weten.'

De man zette het meteen op een lopen.

Vic deelde de uitgelaten stemming niet en bleef met een ernstige frons op zijn voorhoofd in de verte staren.

'Wat is er, Vic?' vroeg Thom. 'Is er iets mis?'

'Abu moet dit weten, Thom. Ik wil dat je naar het beschermersdorp gaat. Vertel Abu wat je gezien hebt. Verlies geen tijd.'

Thom keek Vic aan en probeerde uit te vissen wat hij dacht. Hij leek Thom eerder bezorgd dan blij.

'Ga nu, Thom. Ik zorg wel voor je vangst,' zei Vic.

Thom knikte. Hij rende naar zijn hut, trok schoenen aan en vertrok meteen om Abu op de hoogte te brengen.

11.

Buiten adem bereikte Thom het dorp. Verscheidene
beschermers stopten hun bezigheden toen ze de rood
aangelopen jongen opmerkten. Een zindering van emotie
ging door het anders zo rustige dorp.

'Thom? Wat doe jij hier?'

Jari kwam net uit de tempel en keek verbaasd op toen hij
zijn vriend zag. De opgewonden uitdrukking op Thoms
gezicht ontging hem niet.

'Scheelt er iets?'

'Waar is Abu?' was het enige wat Thom kon uitbrengen.
Hij stond zwaar te hijgen.

'Hij is in zijn hut,' wees Jari. 'Aan het rusten. Je kunt hem
nu beter niet storen.'

Maar Thom luisterde niet. Hij rende naar de hut en duwde
de deur open zonder te kloppen.

Abu was in diepe meditatie verzonken, maar toen de deur
openvloog, greep zijn hand naar de rituele stok die naast
hem lag, met een snelheid die niet bij zijn hoge leeftijd
paste. Hij draaide zich naar de indringer en stond al overeind toen hij Thom herkende. Zijn greep op de stok
verslapte.

Pas toen hij voor Abu stond, besefte Thom dat hij alle beleefdheidsregels had overtreden. Hij werd nog roder en probeerde tussen het hijgen door een verontschuldiging te uiten. Abu maakte een afwerend gebaar.

'Je geest vertelt me dat je dringender zaken hebt te melden dan een verontschuldiging,' zei hij rustig. 'Ga zitten en kom op adem.'

Hij bood Thom een beker water aan. Thom dronk gretig.

'Vic heeft me gestuurd,' zei hij toen.

Hij deed zijn best om zijn ademhaling onder controle te krijgen. Abu trok één wenkbrauw op.

'Er is iets verschenen aan de horizon. Het komt dichterbij. We denken dat het een eiland is.'

Behalve de ene wenkbrauw die opgetrokken bleef, was er niets op Abu's gezicht wat ook maar enige emotie verried. Hij bleef Thom aandachtig aankijken.

'Ik moest het u onmiddellijk komen melden,' zei Thom.

'Daar heb je goed aan gedaan, jongen,' antwoordde Abu. 'We zullen met zijn allen voorbereidingen moeten treffen.'

'Is het… de profetie?' vroeg Thom.

'Daar lijkt het sterk op. Als Vic je gestuurd heeft, ga ik ervan uit dat het zo is. Kom nog even op adem en ga dan terug. Zeg dat iedereen zich naar het hoofddorp moet begeven.'

Toen Thom uit de hut van Abu kwam, stond Jari hem op te wachten. Zijn gezicht stond vragend.

'Wat is er aan de hand, Thom? Zo heb ik je nog nooit gezien.'

Thom keek om naar de hut van Abu, alsof hij zich afvroeg of hij wel iets mocht zeggen. Toen pakte hij zijn vriend bij de pols.

'Er komt een eiland aan, Jari.'

'Een eiland?' herhaalde Jari ongelovig.

Thom knikte. 'Ik zag het toen ik bij de grot was. Niet meer dan een stip aan de horizon, maar hij wordt groter. Ik moest van Vic meteen naar hier komen om Abu te waarschuwen.'

Jari staarde zijn vriend met open mond aan.

'En wat… wat zei Abu? Hoe reageerde hij?'

'Hij zegt dat de profetie uitkomt. Het baken heeft gewerkt, Jari. Er komt een eiland. We zijn niet alleen.'

'Jari, roep iedereen samen bij de tempel.'

Abu stond in de deuropening van zijn hut. Zijn gezicht stond ernstig. Thom voelde zich betrapt omdat hij met Jari stond te praten, boog het hoofd en rende toen weg. Hij moest Abu's boodschap overmaken.

Jari sloeg met de klepel tegen de twee dikke bamboestengels. Het holle geluid bereikte elke uithoek van de kleine nederzetting en elke beschermer gaf onmiddellijk gehoor aan de roep van de tempel. Abu ging op de hoogste trede staan en de beschermers wachtten nieuwsgierig af wat hij te zeggen had. Bij sommigen stond de opwinding op hun gezicht te lezen. Ze hadden immers de jonge krabbenvanger het dorp zien binnenrennen en recht naar de hut van Abu zien gaan. De krabbenvanger had nauwelijks het dorp verlaten of ze werden gevraagd zich te verzamelen voor de tempel. Er was duidelijk iets op til. Abu straalde een en al rust uit toen hij begon te spreken.

'Vrienden, als beschermers van de Moedersteen doen jullie al jarenlang trouw jullie plicht. De stenen verkeren in perfecte gezondheid en met hen het hele eiland, en dat is te danken aan jullie goede zorgen en die van jullie voorgangers. We hebben nooit méér gevraagd dan de Moedersteen te mogen dienen en de Krachtige Steen te mogen voeden. Al die jaren van trouwe dienst zullen nu hun vruchten afwerpen.'

Abu pauzeerde even, hoewel zijn toehoorders in spanning afwachtten wat hij verder zou zeggen.

'Een krabbenvanger is me zonet komen melden dat hij een ontdekking heeft gedaan. Er is een eiland op komst.'

De mededeling trof de kleine gemeenschap als een bliksemflits. Sommigen begonnen breed te glimlachen, anderen bleven als versteend staan, weer anderen trokken een gezicht alsof ze niet geloofden wat ze net hadden gehoord.

'We moeten alles in gereedheid brengen om de bezoekers waardig te ontvangen. Dit is een grote dag voor het eiland. Vandaag verandert onze geschiedenis. Vele jaren nadat ieder van ons deze wereld heeft verlaten, zullen jullie opvolgers lesgeven over de dag dat de profetie bewaarheid werd. We zijn niet langer alleen!'

12.

Het was donker, maar geen enkele eilander dacht er nog maar aan te gaan slapen. Iedereen stond op het strand bij het hoofddorp, ook de kinderen, die de opwinding van hun ouders door hun aderen voelden stromen. De allerkleinsten sliepen op de arm van hun moeder of hun vader, die vol verwachting naar het pulserende blauwe licht in de verte keken. De violette lichtstraal van hun eigen Krachtige Steen reikte in volle sterkte naar de hemel en lokte het naderende eiland naar zich toe. Onder het licht was de donkere massa nu duidelijk zichtbaar. Onnoemelijk veel groter dan het grootste schip dat iemand zich kon voorstellen, maar op het eerste gezicht kleiner dan het thuisland van de eilanders, kwam het nieuwe eiland langzaam maar zeker dichterbij. Iedereen was ervan overtuigd dat de Krachtige Steen verantwoordelijk was voor het wonder.

Thom stond tussen de massa en keek naar de steeds groter wordende landmassa. Vic was meegekomen en tuurde ook in de verte. Hij had diezelfde ernstige blik die hij eerder ook op het krabbenvangersstrand had gehad. Hij was de enige die niet deelde in de opgewonden vreugde.

Diep vanbinnen voelde Thom ook iets wat hem ervan

weerhield zich over te geven aan de euforie die zich van de andere eilanders meester maakte. Een onbestemd knagend gevoel nestelde zich in zijn maag terwijl een aantal vragen door zijn hoofd flitsten. Wat wisten ze immers van de bezoekers? Helemaal niets. Voor zover Thom wist, was er in de profetie sprake van de komst van een ander eiland, waardoor een sinds lang verdeeld volk weer één zou worden. Maar was die eenmaking een zegen? Als volkeren zo lang van elkaar gescheiden waren, waren ze ook van elkaar vervreemd, hadden ze een andere evolutie doorlopen. Wat als de inwoners van de twee eilanden niet bij elkaar pasten? Wat als de bezoekers slechte bedoelingen hadden? Anderzijds, zou de Krachtige Steen een negatieve energie aantrekken? Dat kon haast niet. Hij werd gevoed door de zuiverste amethist en vertegenwoordigde de energie van de Moedersteen zelf, die het eiland al sinds mensenheugenis beschermde. Hij zag vast spoken.

Iemand sprong van achteren tegen hem aan en omhelsde hem met zoveel geweld dat hij bijna zijn evenwicht verloor.
'Is het niet opwindend? Ik kan het bijna niet geloven.'
De woorden werden gevolgd door een klinkende zoen op zijn wang. Blij verrast herkende Thom zijn overvaller.
'Enea.'
'Wat dacht je? Dat ik dit feest wilde missen? Ik ben blij dat jij er ook bent, Thom. Is het niet heerlijk? Hoeveel mensen hebben de overgangsrituelen niet gevierd zonder ooit een

glimp op te vangen van een ander eiland? Je beseft toch wel dat wij ook hadden kunnen sterven zonder dit ooit mee te maken? Ik ben zo blij dat dit me overkomt. Ons leven gaat helemaal veranderen, dat besef je toch?'

Enea ratelde maar door, terwijl ze de hele tijd van de ene voet op de andere sprong. Ze kon haar opwinding onmogelijk verbergen.

'Kom hier, dat ik je een zoen geef,' lachte ze.

Ze pakte zijn hoofd stevig tussen twee handen en drukte hem een lange zoen op zijn lippen. Met een smakkend geluid liet ze hem weer los. Vic keek geamuseerd opzij. Hij glimlachte even naar Thom voor hij zijn blik weer op het drijvende eiland richtte.

'Zou dat flikkerende licht hun baken zijn? Wat denk jij, Thom?' vroeg Enea.

'Dat zou best kunnen. Als zij de profetie ook kennen, hebben ze natuurlijk ook een manier gezocht om een ander eiland aan te trekken.'

'Maar bewegen zij of zijn wij het die naar hen toe drijven?'

Thom haalde zijn schouders op en keek naar Vic, maar die reageerde niet.

'Wat denk jij, Vic?' vroeg Thom.

Vic keek zijn jonge vriend ernstig aan.

'Uit de oude verhalen weet ik dat alle eilanden drijven. Onder ons bevindt zich water, wat betekent dat we ons in principe gestaag zouden moeten verplaatsen.'

'En toch komt de zon altijd aan dezelfde kant op en gaat ze aan dezelfde kant onder. Kan dat wel, als we in het rond drijven?'

Vic keek Thom goedkeurend aan.

'Je hebt een scherpe geest, Thom. Je vraag is heel terecht, maar ik kan er geen antwoord op geven. Ik kan alleen maar zeggen wat de oude verhalen vertellen. Misschien werkt er wel een magnetische kracht tussen de eilanden, zodat ze elkaar wel moeten vinden. Ik weet het niet.'

'Maar we hebben elkaar gevonden,' kirde Enea. 'Dat is het allerbelangrijkste, toch?'

Thom glimlachte, ook al wist hij niet of Enea daarmee doelde op de eilanden of op hen beiden.

Bij het aanbreken van de dag werd duidelijk dat de ontmoeting nog niet voor direct zou zijn. Het eiland was heel duidelijk zichtbaar, maar toch nog een heel eind van het strand vandaan. Stemmen gingen op om het hoofddorp in gereedheid te brengen voor een feestelijke ontvangst. De eilanders zouden hun gasten ontvangen zoals het hoorde.

Iedereen ging aan het werk. De uitgeputte kinderen werden in bed gestopt, de eet- en drankkraampjes, die nog maar pas waren opgeborgen, werden weer tevoorschijn gehaald. Slingers werden tussen bomen en huizen gehangen en de muziekinstrumenten kwamen weer uit de opbergdozen, waarin ze normaal gezien nog bijna drie maanden zouden blijven liggen. De sfeer was uitgelaten en zenuwachtig; dit was heel wat meer dan de voorbereiding van een overgangsritueel. Dit was waar iedereen een leven lang op had gewacht.

13.

Op vier beschermers na, die in hun nederzetting waren gebleven, waren alle eilanders aanwezig. Iedereen wilde getuige zijn van de samensmelting. De dorpen van de krabbenvangers in het noorden, van de jagers in het woud en van de vissers in het zuiden, ze waren allemaal uitgestorven. Anders dan tijdens de overgangsrituelen, bleef niemand achter. Het eiland was nu heel dichtbij en de golven werden steeds hoger doordat het stuk zee tussen beide stukken land alsmaar smaller werd. Het water kwam verder het strand op gerold dan het gewoonlijk deed en wie te dicht bij het water stond, repte zich achteruit.

Abu had met zijn beschermers veilig op een hogere rots plaatsgenomen. Jari stond aan zijn zij en tuurde gespannen naar het andere eiland. Recht tegenover hen zag hij een strand en daarachter ontnam een muur van metershoge rotsen het zicht op de rest van het eiland. Hij vond het vreemd dat er niemand op het strand stond. Hier was de hele bevolking paraat om getuige te zijn van dit wonder dat ieders leven zou veranderen. De opwinding zou op het andere eiland toch even groot moeten zijn? Waarom zag hij dan niemand? Even kwam de gedachte bij hem op dat het eiland onbewoond was. De ontgoocheling zou enorm zijn.

Iedereen was ervan overtuigd dat de profetie was uitgekomen, zelfs Abu. Het was onmogelijk dat dit eiland onbewoond was. Hoewel... de profetie sprak over eilanden die elkaar zouden ontmoeten. Was er ook sprake van andere volkeren? Hij wilde net iets vragen aan Abu toen een gegil weerklonk. De hoog opspattende golven begonnen wild te schuimen en wie zich niet snel genoeg uit de voeten maakte, stond tot aan zijn middel in het water. Mensen gilden en lachten luid terwijl ze zich in veiligheid brachten. Een scherpe kreet steeg boven de anderen uit.

'Erlyn! Mijn meisje! Help haar!'

In het water stond een vrouw wanhopig te gillen terwijl ze gebaarde naar een hoofd dat af en toe onder water verdween. Het kind was een speelbal van de woeste golven en maakte geen enkele kans om op eigen kracht weer aan land te komen. De vrouw probeerde naar het kind toe te waden, maar twee mannen grepen haar vast en trokken haar mee naar de hoger gelegen rotsen. De vrouw verzette zich met een hartverscheurend gegil, maar de mannen lieten niet los. Het hele dorp zou getuige zijn van de verdrinkingsdood van het meisje. Jari voelde de adrenaline door zich heen stromen, maar hij wist dat actie ondernemen zinloos was. Hij was te ver weg en bovendien was de zee zo woest aan het kolken dat ze hem ongetwijfeld mee de diepte in zou zuigen. De wanhopige moeder stond inmiddels op het droge en keek jammerend toe hoe haar kind weer onder water verdween. Overal klonken machteloze kreten.

Plotseling maakte een figuur zich los uit de menigte en liep het kolkende water in. Jari herkende Thom meteen. Om zijn middel had hij een touw gebonden dat werd vastgehouden door enkele mannen die tot hun knieën in het water stonden.

Thom zwom met krachtige slagen in de richting van de plek waar het meisje voor het laatst boven water was gekomen. Met de moed der wanhoop keek hij om zich heen, de woeste kracht van de zee negerend. *Ik heb de reuzenkrab gespaard*, zei hij in gedachten tegen de golven, *geef me het meisje terug*. Het leek hem niet meer dan normaal dat hij dit kon vragen.

Hij had al zijn krachten nodig om boven te blijven. De zee leek haar demonen te hebben ontketend en die gebruikten al hun kracht om Thom onder water te trekken. Maar Thom weigerde op te geven. Het meisje was niet voor de zeedemonen, hij moest haar redden.

Ineens zag hij haar; op nauwelijks twee meter bij hem vandaan kwam ze niet langer dan één tel boven en werd onmiddellijk weer door een golf overspoeld. Thom haalde diep adem en dook, terwijl hij met krachtige halen naar de plek zwom waar ze kopje-onder was gegaan. Dankzij het heldere weer kon hij iets zien, ondanks het zout dat prikte in zijn ogen en de miljoenen luchtbelletjes die overal om hem heen opborrelden. Daar was ze, als een lappenpop wervelde het kind rond, een speelbal van de ontketende zeedemonen. Thoms longen stonden op barsten, maar als hij haar nu uit het oog verloor, zou hij haar wellicht nooit meer terugvinden. In een uiterste krachtsinspanning zwom hij naar het meisje toe en hij kon nog net haar lange haren vastgrijpen. De zee trok uit alle macht aan haar, maar Thom liet niet los. Hij greep het slappe kind bij haar middel en bewoog zich met krachtige trappen naar de oppervlakte. Gierend zoog hij zijn longen vol lucht en het scheelde niet veel of hij kreeg een gulp zeewater binnen. Hij gebruikte zijn laatste restje energie om met het meisje boven water te blijven.

Aan de kant klonk gejuich toen de angstige toeschouwers Thom met het meisje zagen opduiken. Dat was het signaal voor de mannen met het touw om Thom zo snel mogelijk binnen te halen. Zowel Thom als het meisje werden op het droge gebracht en iemand begon het meisje onmiddellijk mond-op-mondbeademing te geven. Thom lag op zijn rug, naar adem happend als een vis op het droge. Gejuich steeg opnieuw op toen het meisje een gulp water opgaf en begon te hoesten.

'Thom? Gaat het?'

Thom keek recht in de ogen van Enea, die naast hem neerknielde. Achter haar baande zijn moeder zich een weg naar hem toe. Ze riep zijn naam en knielde op haar beurt naast hem neer.

'Het gaat wel,' bracht hij uit. 'Ik ben oké… het meisje?'

'Ze leeft, Thom. Ze haalt het wel.'

Dat was de stem van Bor. Thoms vader legde zijn hand op

de schouder van zijn vrouw en zijn gezicht straalde van trots. Elfrid huilde.

'Je bent een held, Thom,' zei Enea. Ook haar ogen stonden vol tranen.

Jari had alles van bovenaf gadegeslagen en zuchtte opgelucht toen hij Thom in de massa overeind zag komen. De ouders van het meisje liepen met hun kind in de armen naar het dorp. Thom had voorkomen dat deze feestelijke dag was uitgedraaid op een vreselijke nachtmerrie. Er verscheen een glimlach van trots om Jari's mond.

'Een bijzondere jongen,' mompelde Abu. 'Heel bijzonder.'

Een schok deed velen wankelen toen de twee eilanden tegen elkaar botsten. Het water trok weg van de stranden en verdween aan de zijkanten in zee. Toen werd alles rustig. De spanning was te snijden, iedereen leek de adem in te houden. Mensen wisten niet of ze nu moesten juichen of niet. Er gebeurde immers niets. Voor hen lag het strand dat ze altijd hadden gekend, maar daar waar het zand altijd was overgegaan in water, lag nu meer zand en honderd meter verder een muur van rotsen. Nu was er tussen de rotsen duidelijk een opening zichtbaar: een brede kloof die de muur doormidden spleet. Velen keken naar Abu. De opperbeschermer zou wel weten wat te doen.

Abu zelf hield zijn blik gericht op de kloof. Hij mocht dan opperbeschermer zijn, dit hadden hij noch zijn voorgangers ooit meegemaakt. Er bestond geen handleiding die hem kon vertellen wat hem nu te doen stond.

Iemand slaakte een kreet en wees naar de kloof. Er was beweging te zien. Van tussen de rotswanden kwam een figuur tevoorschijn, en nog een, en nog een. Twintig personen kwamen door de kloof het strand op gelopen en Abu besloot dat het tijd was om iets te doen. Samen met Jari en tien andere beschermers liep hij het strand op, de bezoekers tegemoet. Met ingehouden adem keken de eilanders toe.

14.

Jari's hart begon sneller te slaan toen hij de onzichtbare grens tussen de twee eilanden overstak. Hij was zich ervan bewust dat de ogen van heel de eilandgemeenschap op hen gericht waren, maar hij had alleen oog voor de figuren die dichterbij kwamen. Hun tred was zelfverzekerd, als die van mannen met een missie. Met toenemende bezorgdheid keek Jari naar de voorwerpen die aan hun heup bengelden: lange messen, even lang als de hakmessen die zijzelf in het woud gebruikten. Iets in de manier waarop de mannen ze droegen, deed Jari vermoeden dat zij de messen niet als werktuigen beschouwden. Onwillekeurig verstevigde hij zijn greep op de rituele stok die hij in zijn hand hield.

De ontmoeting vond plaats op het vreemde strand; twintig gewapende mannen stonden zwijgend tegenover twaalf beschermers. Geen glimlach, geen woord. De vreemdelingen waren stuk voor stuk donkerharig. Ze droegen zwarte broeken die in enkelhoge laarzen gestopt waren en mouwloze zwarte shirts. Op hun linkerbovenarm hadden ze allemaal een tatoeage van een blauw kristal. Hun gelaatsuitdrukking was ondoorgrondelijk. Abu slikte en nam het woord.

'Welkom,' zei hij, terwijl hij met zijn rechterarm een breed gebaar maakte. 'Ik ben Abu, opperbeschermer van ons eiland. We zijn verheugd jullie te ontmoeten.'

Een man stapte naar voren uit de groep en legde zijn vlakke linkerhand op zijn borst.

'Ik ben Reikon. Het doet me plezier jullie te kunnen begroeten. Het heeft ons jaren gekost om jullie te vinden.'

Het gezicht van de man ontdooide een beetje en vertoonde een flauwe glimlach. Abu maakte een gebaar naar de eilanders, die de ontmoeting nauwgezet volgden.

'Onze gemeenschap zal u graag verwelkomen om samen met uw volk deze heuglijke ontmoeting te vieren.'

'Een uitnodiging die wij met heel veel plezier zullen aanvaarden,' zei Reikon. 'Ik zal mijn volk opdragen zich klaar te maken.'

Zonder verder nog iets te zeggen, draaide Reikon zich om. Alsof dat een teken was, maakten ook de negentien anderen rechtsomkeer en liepen terug naar de kloof. Jari keek hen na en probeerde hoogte te krijgen van wat ze net hadden meegemaakt. Er klopte iets niet. Op geen enkel moment had hij vreugde ervaren. Het leek alsof de vreemdelingen helemaal niet blij waren hen te zien. Was deze gebeurtenis voor hen niet even wonderlijk?

'Laten we teruggaan,' zei Abu zacht.

Jari probeerde uit de klank van zijn stem of uit de blik in zijn ogen op te maken wat Abu dacht, maar de oude man gaf niets prijs.

Het hoofddorp stond in rep en roer. Iedereen wist inmiddels dat de bezoekers weldra zouden komen en zonder uitzondering wilden de eilanders hun beste beentje voorzetten om hun een gastvrij onthaal te bieden. Nu al werd er gezongen en gedanst; de sfeer zat er al helemaal in.

Abu trok zich met de beschermers terug in de tempel en sloot zich af van het aanzwellende feestgedruis. Vier beschermers had hij op het strand achtergelaten om de bezoekers naar het dorp te begeleiden. Zestien mannen, de jongste amper negentien, zaten met gekruiste benen in een halve cirkel voor de Krachtige Steen. Nog altijd richtte die zijn felpaarse straal naar de hemel, alsof hij nog een ander eiland verwachtte. Jari voelde zich gespannen en dat kwam niet alleen door de opwinding die de komst van het eiland met zich meebracht. Diep in hem roerde zich een onbestemde onrust, maar hij durfde er niet over te beginnen. Wie was hij tenslotte? In dit gezelschap was hij de jongste en dus de beschermer met de minste ervaring. Zijn leeftijdgenoten had Abu achtergelaten op het strand.

'Dit is een grote dag in ons bestaan,' begon Abu, daarmee herhalend wat hij eerder al voor de tempel van de Moedersteen had gezegd. 'Wat hier ook het gevolg van is, het leven op het eiland zal nooit meer hetzelfde zijn.'

Abu keek naar de beschermers om hem heen, op ieder van hen liet hij zijn blik even rusten, en toen keek hij omhoog naar de Krachtige Steen.

'Het baken heeft eindelijk een eiland aangetrokken, precies zoals de profetie voorspeld heeft. We zullen het nieuwe volk met een open geest tegemoet treden. Voor de eilanders is het belangrijk dat dit een feestelijke gebeurtenis is, die gevierd moet worden. Maar voor ons, beschermers, is er meer. Eeuwenlang hebben wij de Moedersteen gediend. Al die tijd hebben we het baken gevoed in de hoop en overtuiging dat de profetie ooit zou uitkomen. En vandaag worden we beloond voor al onze toewijding. We zijn niet alleen op deze wereld! Het leven zoals wij het kennen is bepaald door de eeuwenlange tradities van ons volk. Maar nu staan we voor een historische gebeurtenis: een ontmoeting met een volk dat zijn eigen gewoontes heeft ontwikkeld, zijn eigen rituelen en zijn eigen geloof heeft. Door te luisteren naar dit nieuwe volk en ons open te stellen, kunnen we onze kennis verruimen, onze horizon verbreden. Dank, o Krachtige Steen, dat u dit volk op ons pad heeft gebracht. Dank voor het geschenk dat u ons geeft in ruil voor de jarenlange voeding die we u hebben aangeboden. We zullen het volk dat u naar ons toe leidde met respect ontvangen.'

Alle beschermers bogen het hoofd om hun dankbaarheid over te brengen. Toen richtte Abu zich opnieuw tot hen.

'Ik zal Reikon uitnodigen in het beschermersdorp. Daar zal ik gesprekken met hem hebben om de leemten in onze kennis op te vullen. Ik zal hem deelgenoot maken van onze gebruiken en onze kennis en op mijn beurt luisteren naar wat hij ons kan bijbrengen over de gebruiken en de kennis van zijn volk. Op die manier zullen we een groeiproces voor beide volkeren op gang brengen. Vier beschermers zullen bij de tempel van de Krachtige Steen blijven. De anderen zullen met mij terugkeren naar ons dorp.'

Net als een vijftigtal andere eilanders stonden Thom en Enea nog op het strand, maar ze hielden zich wat afzijdig van de rest. De warme wind had Thoms kleren gedroogd. Hij was niet ingegaan op het voorstel van zijn moeder om thuis iets anders te gaan aantrekken, ook al stonden zijn kleren nu stijf van het zout. Enea had erop aangedrongen dat hij met haar zou wachten op de komst van de bezoekers en ze staarde met haar arm door de zijne gestoken naar de overkant. Ze wipte van het ene been op het andere.

'Ik hou het bijna niet meer, Thom. Ik heb het gevoel alsof mijn hart uit mijn borst wil springen. En niet alleen door dat eiland met zijn bewoners waar we straks kennis mee zullen maken.'

Ze pakte zijn arm wat steviger vast en drukte zich tegen hem aan.

'Toen je in het water sprong om de kleine Erlyn te redden, dacht ik echt dat ik zou sterven van schrik. Ik geloofde nooit dat je het er levend af zou brengen. In gedachten zag ik jullie allebei naar de bodem van de zee zinken. Ik kan er nog altijd niet bij dat je dat hebt gedurfd.'

'Ik dacht er niet bij na.'

'Je bent een held, Thom… mijn held.'

Enea wendde haar gezicht naar dat van Thom, ging op de toppen van haar tenen staan en kuste hem zacht op de mond. Toen ze terugtrok, keek Thom haar verward aan. Hij was al gewend geraakt aan Enea's gewoonte om hem spontaan een kus te geven, maar deze was anders. Haar kussen waren meestal snel, altijd krachtig en met getuite lippen. Maar nu hadden haar lippen heel zacht aangevoeld, ze waren lichtjes geopend geweest en even meende hij gevoeld te hebben hoe ze met haar tong zijn bovenlip beroerde. Enea keek naar hem met ogen die dieper waren dan de zee, donkerder dan de grotten waar hij op krabben joeg. Haar ogen vertelden een verhaal, schreven perkamentrollen vol, krasten boodschappen in elke boom van het bos, schreven steeds opnieuw woorden in het zand; en elke keer vormden die woorden dezelfde zin: *ik wil je*.

Thom was nog bezig de boodschap te ontcijferen toen Enea haar ogen sloot en haar mond weer naar zijn lippen bracht. Hij stond toe dat haar zachte lippen hem dwongen zijn mond te openen, gaf toe aan de strelende, verkennende bewegingen van haar tong tegen de zijne. Heel even verdween het strand, de mensen om hen heen, het andere eiland. Er was alleen nog Enea, Enea, Enea… Thoms hart ging feller tekeer dan toen hij had gezwoegd om de kleine Erlyn te bereiken, hij vergat te ademen, voeten om op te staan had hij niet nodig, alle eilanden ter wereld waren te klein om dit gevoel te bevatten, het was sterker dan de Krachtige Steen… Enea…

Ze legde haar hoofd tegen Thoms borst. Ineens was ze niet meer geïnteresseerd in de komst van de bezoekers.

Thom keek over haar hoofd naar de muur van rotsen aan de overkant, terwijl hij zijn emoties weer onder controle probeerde te krijgen. Zijn hart klopte nog altijd veel te snel en Enea legde haar hand op zijn borst. Ze had gevoeld hoe zijn hart tekeerging. Thom dwong zichzelf weer rustig te ademen en probeerde te vatten wat er net was gebeurd. Hij en Enea hadden gekust, anders gekust dan anders. Wilde dat zeggen dat ze samen waren? Een stel? Hij dacht aan zijn vriend, die nu vast in de tempel zou zijn. Hij wist dat Enea Jari niet koud liet. Kon hij dit maken? Hoe zou Jari reageren? Zou hij boos worden? Hij had er niet op aangestuurd. Zeker niet bewust. Had hij een jarenlange vriendschap ingeruild voor een kus van Enea? Een vreemd gevoel bekroop hem; was het schuld… schaamte? Wat het ook was, het vocht hevig met de verrukking die zich van hem meester had gemaakt. Hij klemde Enea dichter tegen zich aan. Dit gevecht moest hij alleen leveren; er was niemand die hij hierover kon vertellen.

15.

Het was een ongewoon gezicht. In rijen van vier kwamen ze de kloof uit, netjes in het gelid, alsof ze deelnamen aan een optocht. De vijftig eilanders die de hele tijd op de uitkijk hadden gestaan, begonnen opgewonden door elkaar te praten. Een jongen rende als een haas naar het dorp om het nieuws te melden. De vier beschermers rechtten hun rug en deden een aantal passen naar voren, als duidelijk signaal dat zij de officiële verwelkomers waren. Enea kneep in Thoms arm.

'Ze zijn er, Thom. Ze komen.'

Haar stem haperde van opwinding en ze hapte even naar adem. Haar lange haren wapperden in de warme wind, als een vlag die de bezoekers de weg moest wijzen. Thom voelde een groeiend gevoel van onrust opwellen, eerst in zijn maag en toen opkruipend naar zijn borst, waar het zijn ademhaling oppervlakkiger maakte. Hij kende dit gevoel; het had hem eerder overvallen. Zes maanden geleden, in de grot. De vangst wilde niet lukken; de meeste krabben waren hem te vlug af. Toch maakte hij op het einde van de dag een vuurtje, net als altijd, om een krab te roosteren. Toen was het gevoel er ineens, zonder waarschuwing. Een onbestemd knagen vertrok in zijn maag en breidde zich uit naar zijn borst, waardoor hij moeilijk kon ademhalen. Misschien had hij te lang gejaagd zonder te eten, was zijn eerste gedachte geweest. De kouder wordende wind had het onbehaaglijke gevoel alleen maar versterkt. Zelden had Thom met zo weinig smaak gegeten, alsof zijn geest hem van het eten probeerde af te leiden en hem wilde dwingen zich op belangrijker zaken te concentreren. Ook na het eten wilde de misselijkheid niet wijken en Thom had zijn magere vangst in het net aan de kano vastgemaakt. Het weeë gevoel in zijn maag en de druk op zijn borst negerend had hij de kano in het water geduwd en zich afgezet. De koude wind woei de grot in en veroorzaakte kleine baren in het anders altijd zo rustige water voorbij het rif. Ter hoogte van het rif spatte het water hoog op tegen de rotsen en de kolkende watermassa voorbij de poort was woester dan anders: er was storm op komst. Het feit vervloekend dat hij zich net nu wat zwakker voelde, stuurde Thom zijn kano door de poort in het rif de zee op. Elke keer wanneer hij zijn peddel in het water stak, leek het alsof de zee hem die uit zijn handen wilde rukken. Als een stuk drijfhout dobberde de kano op de golven en al Thoms pogingen om het vaartuig enige richting uit te sturen mislukten jammerlijk. Hij wist al dat hij verloren was voor de grote golf hem bereikte. De golf brak en stortte zich wild schuimend op de kano. Het bootje ging helemaal onder en gedurende een eeuwigheid wist Thom niet meer wat onder of boven was. Met veel moeite kwam hij weer boven water en hij was zich onmiddellijk bewust van de dreigende nabijheid van het rif. Als hij tegen de rotsen gesmeten werd, zou het voorbij zijn. De kracht van de golven zou hem verpletteren. Met de moed der wanhoop probeerde hij te zwemmen, maar telkens opnieuw werd hij als een speelbal door de golven omhoog geworpen om even later onder water gesleurd te worden. Hij keek de dood in de ogen en uiteindelijk gaf hij zich over aan de machtige zee. Dit was een gevecht dat hij nooit kon winnen. Net op dat moment tilde een grote golf hem op, droeg hem mee op haar rug en brak net voor de poort in het rif. In een werveling van schuim en luchtbellen verdween Thom onder water, ervan overtuigd dat dit zijn laatste duik was. Tot zijn verbazing kwam hij weer boven water. Hij had niet gevochten, maar de zee had beslist hem nog eenmaal naar de oppervlakte te stuwen om adem te halen. Thom hapte naar lucht en besefte plotseling dat hij zich in rustiger water bevond. De golf had hem meegevoerd binnen de veilige beschutting van het rif. Uitgeput zwom hij naar de rotsen in de grot en hees zich op het droge. De storm hield de hele nacht aan en Thom hield zich warm door het laatste hout van zijn kleine voorraad op te stoken. Uiteindelijk was hij in slaap gevallen. Zijn kano was verdwenen. Een mogelijkheid om terug te keren had hij niet; zwemmen van daaruit was onmogelijk.

Toen hij 's morgens wakker werd, was het onbehaaglijke gevoel in zijn maag en borst verdwenen. De wind was gaan liggen en de zon was haar eigen stralende zelf, opklimmend aan de horizon. Nog voor hij Vic in een kano zag komen aanroeien, wist Thom dat alles in orde zou komen. Zijn lichaam vertelde het hem.

Achteraf had hij erover gesproken met Vic. Die vertelde hem dat hij zijn gevoel nooit mocht negeren. Wie één is met de natuur, luistert naar de wind, leest de golven en heeft respect voor wat zijn gevoel hem vertelt. Thom had zich voorgenomen de les nooit te vergeten.

En nu bekroop dat gevoel hem opnieuw, stiekem, zeurend om aandacht, in totale tegenstelling met wat er door hem heen was gegaan toen Enea hem kuste. Het onbehagen groeide naarmate de colonne aangroeide en dichterbij kwam. Automatisch begon hij te tellen. Honderd rijen van vier, op het eerste gezicht allemaal mannen, allen in dezelfde zwarte kledij. Toen ze dichterbij kwamen, zag hij dat ze allemaal een groot mes aan hun zijde droegen. Thom tastte naar de krabbenschaar aan zijn riem. Heel even wenste hij dat hij een werpspies had meegebracht.

'Zien ze er niet geweldig uit?' kirde Enea. 'Ze lopen zo keurig netjes in rijen. Het lijkt wel alsof er een gigantische duizendpoot onze richting uitkomt.' Ze lachte zenuwachtig. 'Griezelig, hé? Ik ben blij dat het mensen zijn.'

Thom antwoordde niet, maar trok haar tegen zich aan. Hij voelde een sterke aandrang om haar te beschermen. Die keer op zee had hij zijn gevoel totaal genegeerd. Hij zou die fout niet nog eens maken.

Reikon begroette de vier beschermers en volgde hen naar het dorp. De colonne werd met ontzag nagekeken door de aanwezige eilanders.

Nieuwsgierig drumde iedereen samen op het plein voor de tempel. Reikon stond naast Abu op de trap, geflankeerd door de beschermers. Abu keek naar de bezoekers en de eilanders achter hen.

'In naam van alle eilanders heet ik u, Reikon, en samen met u alle bewoners van uw eiland van harte welkom in ons hoofddorp. Vele generaties lang hebben we gewacht tot de profetie zich zou voltrekken, overtuigd dat er ooit een eiland door het baken aangetrokken zou worden. Vandaag is het zover. We zijn verheugd dat we niet langer alleen zijn en we zijn zeer benieuwd naar de verhalen die u ons te vertellen heeft. Wij op onze beurt popelen om u over ons leven hier te vertellen. We hebben een feest voorbereid ter ere van u allen, in de hoop dat u zich welkom en thuis zult voelen. Wat van ons is, behoort ook u toe. U, Reikon, nodig ik graag uit om eerst de tempel van de Krachtige Steen te bezichtigen. Daarna nodig ik u uit mee te komen naar het beschermersdorp, waar we onze ervaringen en kennis kunnen uitwisselen.'

Reikon knikte minzaam ten teken dat hij de uitnodiging aanvaardde.

'Beste eilanders,' zei Abu, 'we hebben heel ons leven op dit moment gewacht. Toon jullie van jullie beste zijde en laat onze bezoekers zien dat het begrip gastvrijheid ons niet vreemd is. Laat het feest beginnen!'

Gejuich steeg op uit de menigte en hier en daar haastten mensen zich weg om de stalletjes te bemannen.

Reikon keek naar de imposante steen die zijn straal onafgebroken de lucht in stuurde. Zijn blik dwaalde af naar de twaalf openingen rondom het reusachtige gesteente.

'Om de drie maanden wordt de Krachtige Steen gevoed,' legde Abu uit.

Reikon trok één wenkbrauw lichtjes op, waarmee hij om meer uitleg vroeg.

'Dan vieren we het overgangsritueel,' ging Abu verder. 'Uit het beschermersdorp worden twaalf amethisten naar hier gebracht. Zij voeden de Krachtige Steen vier dagen lang en worden dan weer weggenomen. Op die manier wordt het baken al generaties lang de hemel ingestuurd. Maar het baken is meer dan een middel om zichtbaar te zijn voor de buitenwereld. Het is een symbool van eenheid voor het eiland. Tijdens elk overgangsritueel, vier keer per jaar, worden de banden tussen alle eilanders aangehaald. Het feit dat alles gedeeld wordt, maakt dat vernietigende eigenschappen als hebzucht en jaloezie hier geen voedingsbodem vinden. U bevindt zich op een heel gelukkig eiland.'

Reikons gezicht stond ondoorgrondelijk. Hij reageerde niet op de hartelijke glimlach van Abu.

'Laat uw mannen gerust deelnemen aan het feest,' zei Abu met een armgebaar naar de twintig mannen die bij de ingang van de tempel waren blijven staan. 'Intussen kan ik u het beschermersdorp en onze heilige tempel laten zien.'

Hij begeleidde Reikon naar de poort. Die meldde zijn mannen dat ze zich onder de feestvierders konden begeven. De klank waarmee hij dat zei, deed eerder aan een bevel dan aan een uitnodiging denken. Hij stond erop vijf van zijn mannen mee te nemen. Abu keek vreemd op van het wantrouwen dat hiermee gepaard leek te gaan, maar hij zei er niets van. Zelf koos hij ook vijf beschermers uit die hen zouden vergezellen. Vier beschermers bleven bij de tempel, de anderen mochten deelnemen aan het feest.

Toen de drie karren in de richting van het woud vertrokken, waren er weinig mensen die opkeken. Het feest was al in volle gang.

16.

Met gemengde gevoelens zag Jari de karren wegrijden. Abu had hem en nog enkele andere beschermers gezegd dat ze mee konden feestvieren, terwijl hij liever mee naar het dorp in het woud was gereden. Het zat hem niet lekker dat de mannen die Reikon vergezelden allen een wapen droegen. Waarom droeg je zo'n enorm mes aan je riem als je bij iemand een bezoek aflegde? Voor hem was het een teken van gebrek aan vertrouwen. Op een andere manier kon hij het niet uitleggen.

Jari schudde het ongeruste gevoel van zich af. Waarschijnlijk was hij gewoon teleurgesteld omdat Abu had geoordeeld dat hij hem niet nodig had. Wellicht moest hij er niets meer achter zoeken. Hij liep over het plein, recht naar de plaats waar hij Enea voor het eerst had gezien. Misschien zou hij zijn vriend daar vinden.

'Wat ben je toch de hele tijd zo ernstig? Je kijkt alsof je het eiland alweer ziet wegdrijven. Feesten zit jou echt niet in het bloed, hè?'

Enea liep naar een stalletje en haalde twee kroezen bier.

'Hier, daar vrolijk je misschien wat van op. Of doe ik je hiermee meer plezier?'

Ze ging op haar tenen staan en gaf hem een zachte kus op zijn lippen. Thom ontspande een beetje en sloeg zijn armen om Enea heen. Het bier klotste over de rand van de kroes. Om hen heen was het een drukte vanjewelste en veel eilanders waren al in gesprek met de bezoekers. Die leken het eilandbier ook wel te lusten.

Ondanks hun vrij norse uiterlijk leken de meeste bezoekers wel sociaal. Ze antwoordden in elk geval enthousiast op de vele vragen die op hen werden afgevuurd. Jari keek naar een groepje pratende mannen: twee bezoekers en drie eilanders lachten om een grap. Jari ontspande zich een beetje. Misschien zag hij gewoon spoken. Eigenlijk had hij zelf ook wel zin in bier. Hij liep op een stalletje af en bestelde een kroes.

'Je loopt gekleed als die mannen die ons van het strand naar hier hebben begeleid. Hoor je bij hen?'

Jari keek op naar de man die hem had aangesproken. Die was enkele jaren ouder dan hijzelf en zijn blote armen verrieden dat hij behoorlijk gespierd was. In zijn linkerhand hield hij een kroes bier, de rechterhand stak hij uitnodigend uit naar Jari.

'Breitan,' zei hij.

Jari schudde hem de hand.

'Jari,' antwoordde hij. 'Inderdaad, ik ben een van de beschermers.'

'Beschermers? Hebben jullie vijanden?'

Jari schudde het hoofd. 'Het is een rituele functie. We zorgen voor de stenen die het baken voeden.'

'Jullie dragen geen wapens?'

'Waarom zouden we? Hier doet niemand een ander kwaad. Maar nu je het erover hebt: waarom zijn jullie gewapend?'

Breitan schrok heel even, maar herstelde zich snel.

'Er leven wilde dieren op ons eiland. Ze houden zich op tussen de rotsen en soms durven ze mensen aan te vallen. Daarom dragen we dit bij ons... bescherming.'

Jari knikte.

'Heerlijk bier hebben jullie, dat moet ik jullie nageven. Ik neem er nog een. Jij ook?'

'Nee, bedankt,' zei Jari, een blik werpend op zijn nog volle kroes. Hij liep verder, op zoek naar Thom. Die moest hier ongetwijfeld ergens uithangen.

Het bier smaakte Thom niet en het vervelende gevoel in zijn maag wilde maar niet wijken, ook al was de sfeer om hem heen heel ontspannen. Geregeld werd hij op de schouder geklopt door mensen die hem feliciteerden met de spectaculaire redding van de kleine Erlyn. Anoniem opgaan in de massa, wat hij in principe het liefst deed, had hij door zijn actie zelf onmogelijk gemaakt.

'Wat scheelt er toch?' vroeg Enea.

Ze keek hem vragend aan, maar hij wilde haar niet bezorgd maken. Zijn gevoel was op niets tastbaars gebaseerd en misschien had hij het wel helemaal mis.

'Ben je niet graag bij mij? Is dat het?'

Thom wist niet of de pruillip gespeeld was of niet.

'Nee, natuurlijk niet… Ik bedoel… Jawel…'

'Hou je niet van me?'

De vraag overviel Thom. Met haar kus had ze hem letterlijk overvallen. Natuurlijk was hij graag bij haar en hij kon niet ontkennen dat hij iets voor haar voelde, maar wilde dat zeggen dat hij echt van haar hield? Dat hij voor altijd bij haar wilde blijven?

Enea wachtte niet op een antwoord; ze bracht haar gezicht naar het zijne en drukte haar geopende mond tegen zijn lippen. Haar tong sprak zonder geluid te maken.

Dicht bij het stalletje waar hij had gehoopt hem te vinden, zag Jari Thom staan. Hij glimlachte toen hij Enea bij hem zag. De afgelopen dagen had hij geregeld aan het meisje gedacht. Haar spontane manier van doen had iets betoverends, vond hij. Als zij in de buurt was, kreeg de lucht iets van het sprankelende dat hij tegen zijn verhemelte voelde als hij bier dronk.

Hij stak zijn arm op en wilde net roepen toen hij het zag: Enea sloeg haar armen om Thoms hals, ging op haar tenen staan en kuste hem lang en innig op de mond. Jari merkte ook wel dat de kus niets had van de spontane zoen die ze hem eerder al had gegeven. Dit was een kus die zei: je bent van mij! Helemaal in de war bleef Jari als verlamd staan, zijn arm nog altijd in de lucht. Iemand botste tegen hem op en het bier klotste uit zijn kroes, maar dat merkte hij niet eens. Hij merkte ook niet hoe de eilander zich omdraaide om zich te verontschuldigen en toen Jari niet reageerde glimlachend de schouders optrok en verderliep. Er gebeurde van alles binnen in hem, meer dan hij kon vatten. Half verdoofd draaide hij zich weer om. Thom had duidelijk geen behoefte aan zijn gezelschap.

'Kijk Thom, daar heb je Jari. Hé, Jari! Hij hoort me niet.'
Enea stoof weg en had Jari in geen tijd ingehaald. Ze pakte hem bij de schouders, draaide hem onzacht om en gaf hem een kus op zijn mond.
'Ons op een paar meter passeren en zomaar voorbijlopen? Dat pakt niet, hoor.'
'Enea… ik had je niet gezien,' loog Jari.
'Kom, Thom is er ook,' zei Enea enthousiast.
Ze pakte de verbouwereerde beschermer bij de hand en trok hem mee. Thom omhelsde hem. Hij dacht heel even iets van spanning te voelen bij Jari, maar hij weet dat aan het onbestemde gevoel dat hem al de hele dag stoorde.
'Een knappe redding vanmiddag, Thom.'
'O, dat.' Thom maakte een wegwuivend gebaar. Hij vond dat hij had gedaan wat moest. Hij hoefde er geen pluim voor.
'Het meisje was verloren,' zei Jari. 'Zonder jouw tussenkomst was ze dood geweest. Weinig anderen hadden het gekund, Thom.'
Jari was blij dat hij hier even op kon doorgaan. Dat gaf

hem de mogelijkheid om wat hij had gezien te verdringen.

'Ik heb hem ook al gezegd dat hij een echte held is,' zei Enea. Haar ogen fonkelden. 'Maar hij wil niet naar me luisteren. Iedereen is dolgelukkig en opgewonden over het bijzondere bezoek en Thom doet alsof niets hem kan raken. Zelfs ik niet. Kun je dat nou geloven?'

Ze lachte luid, een hoog, sprankelend geluid dat boven het geroezemoes om hen heen uitstak. Nee, dat kon Jari niet geloven. Hij had net gezien dat het niet zo was.

Hun aandacht werd afgeleid door een opstootje wat verderop. Twee mannen, een eilander en een bezoeker, waren in een heftige woordenwisseling verwikkeld. Een van zijn vrienden probeerde de bezoeker te kalmeren, maar hij sloeg de hand die op zijn schouder gelegd werd boos weg en richtte zich scheldend tot de eilander. Die liet zich niet onbetuigd en de verwijten vlogen heen en weer. Toen trok de bezoeker zijn lange mes en hield het dreigend voor het gezicht van de ander. Een vrouw gilde en er werd een spontane kring om de twee kemphanen gevormd. Twee andere bezoekers kwamen tussenbeide en een van hen gaf de amokmaker een keiharde dreun op zijn gezicht, waardoor hij achteruit wankelde. De twee mannen mompelden iets wat op een verontschuldiging leek en trokken de man snel met zich mee. Alles was in een mum van tijd gebeurd en algauw was de feestende massa weer het wriemelende kluwen dat ze enkele ogenblikken daarvoor was geweest.

'Het eerste slachtoffer van het eilandbier,' zei Jari.

'Misschien zouden ze beter wat minder drinken, met die messen die ze bij zich hebben.'

'Ach, dat loopt allemaal wel los,' zei Enea. 'Je ziet toch zelf dat ze het onder elkaar oplossen? Een heethoofd, meer niet.'

'Ik hoop dat je gelijk hebt,' zei Thom.

'Natuurlijk heb ik gelijk. Dit is een dag van vreugde, Thom,' zei Enea. 'En om meer dan één reden,' voegde ze er quasigeheimzinnig aan toe, terwijl ze zijn wang even aanraakte.

Jari deed alsof hij niets merkte.

'Maar lieve vrienden, ik moet jullie even alleen laten. Het is tijd dat ik hier iemand ga aflossen om de dorstigen te laven. We willen niet dat onze geëerde gasten droog komen te staan, toch? Er zijn er genoeg die wel tegen drank kunnen,' lachte Enea.

Ze gaf hun allebei een zoen en liep naar het stalletje.

'Tot later. Ik vind jullie wel!'

17.

'Er klopt iets niet, Jari.'
De twee vrienden zaten aan de rand van het dorp met hun rug tegen een grote boom. Allebei waren ze al een tijdje in gedachten verzonken. Jari worstelde vooral met wat hij had gezien en kon maar niet beslissen of hij erover zou beginnen. Hij voelde zich verraden, maar met zijn verstand wist hij dat dat onzin was. Enea had het pad van hun jarenlange vriendschap doorkruist en stelde wat Thom en Jari samen hadden op de proef, zoveel was zeker. Maar deed iemand iets verkeerd? Jari moest toegeven dat dit niet het geval was. Er werden op dit moment keuzes gemaakt en hij zat in het verliezende kamp. Als hij een man was, moest hij dat aanvaarden, ook al viel het hem niet makkelijk.
Met zijn opmerking rukte Thom Jari uit zijn overpeinzingen.
'Wat zei je?'
'Er klopt iets niet,' herhaalde Thom.
'Wat klopt er niet?'
'Alles. Het eiland, de bezoekers, het feest… alles.'
Thom zweeg even en zette zijn gedachten op een rijtje.
'Is je niets opgevallen aan onze bezoekers?'
'Ze dragen wapens. Dat zint me al de hele tijd niet.'
'Klopt, maar dat is niet het enige.'

Jari draaide zijn gezicht naar Thom toe.

'Is het je niet opgevallen dat er geen enkele vrouw bij de bezoekers is? Ik was op het strand toen ze aankwamen. Ze marcheerden, Jari, ze liepen in het gelid… ze deden me denken aan geoefende strijders. Ik heb de hele colonne zien passeren: vierhonderd mannen, geen enkele vrouw.'

'Dat is inderdaad vreemd,' gaf Jari toe.

'Niet alleen vreemd… het is onmogelijk.'

Jari keek hem vragend aan.

'Denk eens na. De hele eilandgemeenschap kan onmogelijk bestaan uit mannen tussen de pakweg achttien en veertig jaar. Waar zijn de vrouwen, waar zijn de kinderen, waar zijn de bejaarden? Als ze zijn zoals wij en na vele generaties een ander volk vinden, zou je dan niet verwachten dat elke inwoner, hoe oud of hoe jong ook, naar het feest komt? Zou niet iedereen razend nieuwsgierig zijn om dat nieuwe volk te ontmoeten, om dat andere eiland te zien? Als de uitnodiging naar ons terugkomt, zal dan niet elke eilander erop gebrand zijn om mee te gaan?'

Jari knikte; Thom had meer dan een punt.

'Zoals ik het zie, zijn er twee mogelijkheden,' ging Thom verder. 'Ofwel, om de een of andere reden hebben ze hun vrouwen, kinderen en bejaarden verboden mee te komen. Maar waarom zouden ze dat doen?'

'Misschien om dezelfde reden dat ze wapens dragen? Wantrouwen? Bang dat wij niet te goeder trouw zijn? Ze willen de weerlozen van hun eiland niet aan gevaar blootstellen?'

Jari giste maar wat, maar hij voelde zelf wel dat hij niet erg geloofwaardig overkwam.

'Zou kunnen, maar ik geloof er weinig van,' zei Thom.

'Je zei dat er twee mogelijkheden waren.'

'Er zijn alleen mannen.'

Jari schudde zijn hoofd. 'Doe niet zo gek.'

'Ik weet het, het is onmogelijk.'

'Precies, een volk dat alleen uit mannen bestaat, is gedoemd uit te sterven. Dat kan gewoon niet.'

'Tenzij zij het volk niet zijn,' zei Thom.

'Huh? Wat bedoel je?'

'Ik weet het niet. Maar ik vertrouw het niet.'

'Wat wil je doen? Abu erover aanspreken?'

'Ik wil gaan kijken.'

'Wat?' Jari schrok en kwam overeind.

'Ik wil naar dat eiland. Ik moet er het mijne van weten.'

'Je wilt zomaar ongevraagd dat eiland oplopen?'

'Waarom niet? Als ze niets te verbergen hebben, zullen ze het helemaal niet erg vinden. Doen ze dat wel, dan weten we dat ik gelijk had en dat er iets niet klopt. Ga met me mee, Jari.'

'Je bent gek, Thom. Abu zal niet blij zijn als hij dit hoort. Je overtreedt de wetten van de gastvrijheid.'

'Ik heb geleerd mijn gevoel te volgen. Er klopt iets niet en ik wil weten wat het is. Als je niet meegaat, ga ik alleen. Maar jij bent toch een beschermer? Kun je alleen stenen beschermen? Gaat de veiligheid van dit eiland jou niet aan?'

'Natuurlijk wel.'

'Kom dan mee.'

Jari stemde niet toe, maar hij zei ook geen nee.

Thom wist dat hij het pleit gewonnen had. Het duurde gewoon nog even voor Jari dat doorhad.

Thom kwam overeind en vertrok alvast. Jari zou zo wel volgen. Hij kende zijn vriend immers. Thom wilde een omtrekkende beweging om het dorp heen maken; niemand hoefde te weten dat ze weggingen.

Het feestgedruis werd luider. Het zou wel recht evenredig toenemen met het aantal vaten bier dat verzet werd.

Toen ze over het dubbele strand uitkeken, deden ze een ontdekking die Thoms onbehaaglijke gevoel alleen maar versterkte. Voor de kloof zagen ze kleine figuurtjes staan.

'Ze hebben wachters uitgezet,' zei Jari ongelovig.

Thom knikte. Zijn bange voorgevoel werd alleen maar sterker.

'Iemand met goede bedoelingen hoeft geen wachters uit te zetten. Ze willen duidelijk niet dat er iemand van ons binnenkomt. Ik vertrouw het voor geen haar.'

'Maar hoe wil je ernaartoe? Zo te zien vormt die kloof de enige doorgang,' zei Jari.

'Van hieruit gezien toch. Ik geloof nooit dat om het hele eiland zo'n rotsformatie staat. Met een boot kunnen we eromheen.'

'Maar het is uren lopen naar je boot in het krabbendorp. Het vissersdorp is bijna even ver. En dan nog dat hele eind varen. Het is nacht voor we daar zijn.'

'Is je geheugen zo kort, Jari? Of heeft al dat mediteren bij de beschermers je jeugdherinneringen gewist?'

'Natuurlijk! De kano. Is die er nog?'

'Ik zou niet weten waarom niet. Ik heb hem nooit weggehaald. Hij was indertijd goed genoeg om ermee tot aan het vissersdorp te varen, dus we kunnen er zeker mee rond dat eiland. Doe je mee?'

Even verscheen de schittering in Jari's ogen die er ook altijd was geweest als Thom vroeger met een van zijn spannende voorstellen aan kwam zetten. Diezelfde schittering had zijn ogen doen blinken toen hij ermee had ingestemd een kano uit het vissersdorp te stelen en die in de duinen te verbergen. Ze waren toen amper veertien geweest. Hoewel ze wisten dat ze iets hadden gedaan wat absoluut niet door de beugel kon, hadden ze een paar jaar veel plezier beleefd aan het bootje.

De jongens liepen langs het smalle pad achter het strand naar het duinengebied dat net voor de landbouwgronden lag. De duinen beschermden de achterliggende velden en hun gewassen tegen de vaak beukende zeewind en vormden een geweldig, eindeloos lijkend speelterrein voor de kinderen van het eiland. Op het verste punt in de duinen, zo ver van het dorp dat geen enkel kind het in zijn hoofd haalde hier te komen spelen, hadden Thom en Jari een schuilplaats voor de kano uitgegraven. Het bootje lag er nog altijd, bedekt met takken en zand. Het duurde even om het uit te graven en tot hun opluchting was het vaartuig nog intact. Zelfs de peddels lagen er nog in. In al die jaren had niemand het gevonden. Zonder tijd te verliezen sleepten ze de kano naar het water, duwden hem de branding in en namen plaats. Alsof het slechts enkele dagen in plaats van jaren geleden was, begonnen ze in perfecte harmonie te peddelen. Ze zetten koers naar de zee en lieten het strand ver aan hun rechterkant liggen. Er stond weinig wind; de zee maakte zich niet druk om het kleine bootje op haar golven. Ze kwamen goed vooruit.

De hoge rotswand bij het strand liep door langs de hele westkant van het eiland. Aan de zuidkant was het niet anders. Jari liet zijn peddel rusten en veegde het zweet van zijn voorhoofd.

'Dat kan toch niet? Heel het eiland kan toch niet uit één grote rots bestaan?'

'Er is altijd nog een oostkant,' zei Thom, die van geen ophouden wilde weten. Zijn armen gingen in een gestaag tempo verder. Hij moest en hij zou weten wat dit eiland te verbergen had.

18.

Reikon toonde zich een geïnteresseerde toehoorder in de tempel. Met bewondering keek hij naar de Moedersteen en de twaalf amethisten eromheen. Abu vertelde uitvoerig hoe de stenen vier keer per jaar naar het hoofddorp verhuisden om de Krachtige Steen te voeden. Het enthousiasme van de dorpelingen had ook hem aangestoken. De opwinding die door hem heen ging, was nieuw voor hem. Het was dan ook een bijzondere gebeurtenis. Dat hij als opperbeschermer mocht meemaken dat de profetie uitkwam, was een nauwelijks te bevatten eer.

'Dus die grote steen – de Moedersteen – zorgt ervoor dat de amethisten gevoed worden?' vroeg Reikon.

'Inderdaad. Precies daarom komen ze na elk overgangsritueel terug naar hier,' zei Abu. 'Met hun energie hebben ze de Krachtige Steen en dus ook het baken gevoed en daarom moeten ze opnieuw opgeladen worden voor het volgende ritueel.'

Reikon bleef nadenkend naar de Moedersteen kijken. Het werd stil in de tempel en Abu werd een zekere spanning gewaar.

'Is er iets?' vroeg hij.

'Nee… nee,' antwoordde Reikon, weggerukt uit zijn overpeinzingen. 'Alleen… is dat de enige functie van de Moedersteen?'

Net toen Abu wilde antwoorden, trof het gevoel hem als een bliksemflits. De korte verwarring die hem op het strand bij de eerste ontmoeting had overvallen, stak weer de kop op en veranderde al snel in grote onrust. Hij werd draaierig. Er was iets met de manier waarop Reikon vragen stelde. De man deed alsof hij niets wist over de Moedersteen, maar als Reikons eiland een van de twaalf was waarover de profetie sprak, dan moest het toch ook een Moedersteen hebben? Het had een straal, dat had iedereen duidelijk gezien. Was het niet logisch dat het eiland op net dezelfde manier drijvende werd gehouden? Waarom stelde Reikon dan die vragen? Als leider van zijn eiland moest hij toch precies weten hoe de Moedersteen werkte?

Angst probeerde zich van Abu meester te maken. Was hij naïef geweest? Had hij iets over het hoofd gezien? Ineens was hij bang dat hij al veel te veel had gezegd, dat hij Reikon helemaal niet mee naar de Moedertempel had moeten nemen. Koortsachtig dacht hij na. Hij besloot niets te zeggen over het feit dat het eiland niet bleef drijven zonder de voeding die de Moedersteen op haar beurt uit de amethisten haalde. Hij richtte zich op de voorhoofdchakra van zijn bezoeker, ook al hoorde dat niet volgens de wetten van de gastvrijheid. Hij besefte dat hij dit veel eerder had moeten doen. Wat hij opmerkte, stelde hem niet gerust: de leider van de bezoekers had geen openlijk stromende energie in zijn chakra. Abu kreeg het nare gevoel dat de bedoelingen van Reikon niet zuiver waren. Wat kwam deze man doen? Had hij, Abu, zich laten verblinden door zijn verlangen dat de profetie zou uitkomen? Wat als dit bezoekende eiland helemaal geen deel uitmaakte van de profetie? Of wat als hij de profetie verkeerd had geïnterpreteerd? Het zweet brak Abu uit toen hij aan die ene zin uit de profetie dacht: *de strijd om land zal woeden*. Wat als die zin letterlijk genomen moest worden? In een flits kwam het oude perkament dat hij jaren geleden van Vic had gekregen hem voor de geest. Wat hij daarin had gelezen, leek nu uit te komen. Kon het zijn dat…?

Abu woog zijn opties af, maar kwam al snel tot de conclusie dat de kaarten misschien al geschud waren. Misschien was er al geen weg meer terug geweest vanaf het moment dat de bezoekers voet aan wal hadden gezet. Het duizelde hem toen de mogelijke gevolgen van zijn verkeerde inschatting hem voor de ogen kwamen.

Abu wilde zijn vermoedens testen, ook al was hij bang voor wat hij te weten zou komen. Hij besloot Reikon in zijn hut uit te nodigen voor een gesprek onder vier ogen. Reikons begeleiders kregen thee op het podium bij het oefenveld. De bezoeker kwam de hut binnen en nam plaats op de stoel die Abu hem aanbood. Abu maakte een vuur en hing er een ketel met water boven. In twee stenen bekers deed hij verse salieblaadjes. De thee zou zijn geest helpen zich te openen; hij moest zicht krijgen op de intenties van Reikon. Terwijl de thee stond te trekken, nam Abu plaats tegenover zijn gast.

'Ik hoop dat uw mensen het naar hun zin hebben op het feest,' zei hij. 'We zijn een gastvrij volk, maar we hebben natuurlijk geen ervaring in het ontvangen van mensen van buiten het eiland.'

'Maakt u zich daar vooral geen zorgen over,' zei Reikon. 'Dat doe ik ook niet. Ik ben er vast van overtuigd dat het mijn mensen aan niets zal ontbreken. U woont op een mooi eiland en uw gastvrijheid strekt u en uw volk tot eer.'

Abu aanvaardde het compliment met een knikje. Reikons woorden waren vriendelijk, maar de klank was killer dan wat hij probeerde te laten uitschijnen.

'Het valt me op dat u gewapend bent.'

Reikon keek Abu strak aan. Even werd de kilte duidelijker voelbaar. Reikon legde zijn hand op het heft van het enorme mes en streelde het.

'Wij geloven dat het onverstandig is ongewapend op pad te gaan. Je weet nooit wat je op je weg tegenkomt.'

'In onze gemeenschap worden wapens enkel gebruikt als werktuig en om te jagen.'

Abu kwam overeind, haalde de salieblaadjes uit de thee en bood zijn gast een beker aan. Zijn hand was vast, ook al kon hij het trillen van zijn geest nauwelijks bedwingen. Reikon dankte hem met een korte hoofdknik, net zoals hij Abu eerder had zien doen. Alleen straalde zijn korte beweging niets van warmte uit.

'Je zou kunnen zeggen dat wij onze wapens ook voor die doeleinden gebruiken,' antwoordde Reikon. 'Het wild bevindt zich soms op onverwachte plaatsen.'

Abu dronk van de thee en concentreerde zich op de voorhoofdchakra van de man voor hem. Het viel hem op dat die duisternis uitstraalde. Dat bevestigde alleen maar zijn vermoeden dat de man weinig goeds in de zin had. Abu's spieren verstrakten, ook al was er uiterlijk geen verandering merkbaar. Hij bleef met een milde glimlach om zijn lippen praten, maar hij wist nu al dat deze ontmoeting niet met woorden beëindigd zou worden. Hij besloot met open vizier naar voren te treden.

'Misschien wilt u me de ware reden van uw komst vertellen,' zei hij. 'Uw bedoelingen zijn minder vreedzaam dan u laat uitschijnen, is het niet?'

Even was er verwarring in Reikons ogen te lezen. Dit gesprek verliep niet zoals hij het zich had voorgesteld. Maar ook nu herstelde hij zich vrijwel onmiddellijk.

'U hebt een sterke opmerkingsgave', antwoordde hij. 'Er is weinig wat voor u verborgen blijft.'

'Daarom ben ik ook de opperbeschermer van dit eiland.'

Reikon zuchtte, spijt veinzend over wat hij moest zeggen.

'Ik vrees dat deze titel u noch uw eiland zal helpen. De dag dat wij uw baken aan de hemel opmerkten, was uw lot al bezegeld, ook al wist u op dat moment nog niets van ons bestaan af.'

19.

Jari voelde zijn armspieren branden, maar Thom was onvermoeibaar. In een gestaag tempo bewoog hij zijn peddel in en uit het water. De oostkust zag er helemaal anders uit dan de andere zijden van het vreemde eiland. De rotsen weken terug om plaats te maken voor een grote havengeul met aanlegsteigers. Er lagen echter geen schepen aangemeerd. Achter de haven was een opening tussen de rotswanden van zo'n vijfhonderd meter breed. Een groot gebouw stak boven een aantal stenen huizen uit. Jari stopte met peddelen om naar het eiland te kijken.

'Komaan, Jari. Roeien,' spoorde Thom hem aan. 'Die haven ziet er verlaten uit. Dat valt mee.'

Ze legden aan tegen de hoge, stenen kade. Thom maakte de kano met een touw vast aan een grote, verroeste ijzeren ring in de muur. Er was een trapje waarlangs ze naar boven konden.

Behoedzaam stak Thom zijn hoofd boven de kade uit. Hij nam even de tijd om de omgeving in zich op te nemen, maar nergens was enige beweging te bespeuren. Misschien was iedereen inderdaad weg. Hij wenkte Jari en liep de kade op. Op hun hoede staken ze de brede, met kasseien aangelegde kade over. Thom vroeg zich af welke grote schepen hier aanmeerden en waar die zich dan wel bevonden. Voer dit volk de zeeën af? Hadden zij weet van andere werelden? De opwinding deed hem zijn vermoeidheid vergeten.

Ze bereikten de eerste huizen en bewogen zich behoedzaam voort, dicht tegen de gevels. Ook hier was het doods, alsof ze door een spookstad liepen. De meeste huizen waren groter dan die op hun eigen eiland en in tegenstelling tot de huizen die Jari en Thom kenden, waren deze opgetrokken uit steen. Ze zagen eruit alsof ze elke storm konden weerstaan.

Verderop stond een groot gebouw dat het dorp domineerde. Het had een bolvormige, zilverwit blinkende koepel en leek op hun eigen tempels. Uit de koepel kwam de blauwe lichtstraal die ze eerder al hadden gezien. Een brede trap met aan weerszijden een muurtje op heuphoogte leidde naar een zware metalen deur: een vierkant van zo'n drie bij drie meter.

'Misschien komen we daar iets meer te weten,' fluisterde Thom.

'Wou je daar dan naar binnen?'

Ongeloof en onzekerheid vochten om de bovenhand in Jari's stem.

'Heb jij dan een beter idee? We moeten erachter komen wat hier gaande is. Kom op.'

Thom wachtte niet op een antwoord. Hij keek links en rechts en, overtuigd dat de kust veilig was, rende hij met soepele passen naar de poort van het gebouw. Jari volgde hem zenuwachtig. Ze waren halverwege de trap toen de deur ineens geruisloos openschoof. In een reflex trok Thom Jari bij zijn hemd mee. Ze sprongen over het muurtje en drukten er zich gehurkt met hun rug tegen. Twee gewapende mannen kwamen de trap af en liepen in de richting van de kade. Ze hadden niets gemerkt.

Thom liet een zucht van opluchting van tussen zijn lippen ontsnappen.

'Dat was nipt.'

'Misschien zijn er nog anderen binnen,' fluisterde Jari.

'Dat zullen we snel weten. We moeten het erop wagen. Klaar?'

Thom tikte Jari tegen de arm en sprong de trap op. Toen ze bij de deur kwamen, schoof die automatisch open. In een reflex sprong Jari twee treden terug, maar er stond niemand aan de andere kant. Snel glipten ze naar binnen.

'Voorzichtig, Thom. Er zijn misschien nog meer wachters.'

Thom knikte. Zijn hart begon sneller te slaan. Weer wenste hij dat hij zijn werpspies bij zich had. Behoedzaam, bang om enig geluid te maken, drongen de jongens het gebouw binnen. Hun monden vielen open van verbazing. De binnenkant van deze tempel, of wat dit gebouw ook moest voorstellen, leek op niets wat ze ooit eerder hadden gezien. De donkergrijze vloer glansde alsof hij nat was. De muren waren witgekalkt. Centraal in de gigantische, gewelfde ruimte stonden grote grijze panelen waarop ontelbare lichtjes constant aan- en uitgingen. Tussen die panelen liep een brede glazen zuil naar boven, door het plafond heen. Zowel links en rechts in de zaal leidde een trap naar boven. Schoorvoetend liepen Jari en Thom naar de panelen toe. Jari stak nieuwsgierig zijn hand uit.

'Laat dat,' fluisterde Thom. 'Wie weet wat er gebeurt als je het aanraakt.'

Alsof hij door een slang werd gebeten, trok Jari zijn hand terug, zichzelf vervloekend omdat hij niet beter had nagedacht. Dit was echt niet de plaats om dingen aan te raken uit nieuwsgierigheid.

Boven een van de panelen, op zo'n twee meter hoogte, hing een groot blauw vlak in de lucht. Vreemd genoeg kon je er doorheen kijken. Centraal in dat vlak bevond zich een grote cirkel met daarin een symbool. In dat symbool herkende Jari het kristal dat op de armen van de bezoekers was getatoeëerd. Op het blauwe vlak stonden rode kruisjes, zes in totaal. Er waren nog zes andere cirkels, kleiner dan de centrale. Twee daarvan hadden een volle lijn en lagen onbeweeglijk op het blauwe vlak; de vier andere hadden een stippellijn en bewogen constant heen en weer. Tegen een van de gefixeerde cirkels plakte een zwarte, knipperende cirkel.

'Wat zou dit voorstellen?' fluisterde Jari.

Thom haalde de schouders op. 'Gezien de grootte en de centrale plaats die het hier inneemt, zou ik denken dat het heel belangrijk is, maar al sla je me dood…'

'En hoe doen ze het?' fluisterde Jari vol bewondering, terwijl hij naar het vlak opkeek. 'Je ziet het en toch lijkt het er niet te zijn. Volgens mij kan ik er gewoon mijn hand doorheen steken.'

Thom keek hem met gefronste wenkbrauwen aan, maar Jari tuitte zijn lippen en schudde zijn hoofd: hij was het heus niet van plan.

Ineens bracht Thom zijn hand omhoog. 'Luister.'

Toen hoorde Jari het ook. Zacht maar onmiskenbaar: een mannenstem. En nog een. Op hetzelfde moment keken de twee vrienden naar boven. Thom wees naar de trap aan de linkerkant. Zonder een woord te zeggen liepen ze ernaartoe. Jari keek vragend naar boven en Thom knikte. Net toen Thom de eerste trede wilde nemen, werd een van de stemmen boven hun hoofden luider. Iemand kwam hun richting uit. Jari stootte Thom aan en gebaarde naar een nis. Vliegensvlug liepen ze erheen. Ze drukten zich zo hard met hun rug tegen de muur, dat het leek alsof ze erin wilden verdwijnen. Als degene die naar beneden kwam het in zijn hoofd zou halen naar rechts te kijken, waren ze er gloeiend bij. De schaduw in de nis volstond nauwelijks om hun aan het zicht te onttrekken. Allebei hielden ze de adem in. Hun hart bonsde in hun keel. Twee identiek uitgedoste mannen liepen langs hen heen naar de poort. Nog meer wachters. Thom voelde Jari naast zich rillen en vroeg zich af of het van zenuwen of van angst was. Het zweet dat hij in druppels van zijn eigen rug voelde rollen was duidelijk angstzweet. Daar hoefde hij niet aan te twijfelen.

Toen de mannen weg waren, trok hij Jari mee naar boven. Zijn vriend stribbelde een beetje tegen, maar volgde toch.

De bovenverdieping bevond zich onder de gewelfde koepel. Die was niet doorzichtig, maar liet wel het daglicht door. Thom vroeg zich af van welk materiaal hij was gemaakt. Buiten had hij duidelijk gezien dat de blauwe straal hiervandaan vertrok, maar er was geen Krachtige Steen die het licht voortbracht. Hoe de koepel dan toch een lichtstraal de lucht in kon sturen was hem een raadsel. Met ingehouden adem namen Thom en Jari de omgeving in zich op. De grote ruimte was niet onderverdeeld in kamers, wel stonden er manshoge metalen panelen in een cirkel om de glazen zuil heen. Op de voorzijde brandden allemaal lichtjes, net zoals op de panelen beneden. Van achter een van die panelen keken ze naar de man die zich in het midden van de ruimte bevond en tegen de doorzichtige zuil sprak. Thom en Jari probeerden te begrijpen wat ze zagen. In de zuil zweefde het bebaarde gezicht van een donkerharige man; het hoofd was half doorzichtig en rustte niet op een romp. Het hing daar gewoon en sprak. Wat was dit? Toverij?

Een tweede man stond met de rug naar hen toegekeerd bij een van de panelen. Met zijn vingertoppen beroerde hij een aantal lichtpuntjes.

'Hoe is de aanhechting verlopen?'

Het gezicht in de zuil bewoog zijn mond. De beweging van de lippen kwam overeen met de vreemd metaalachtig klinkende woorden.

'Foutloos, net zoals bij de andere eilanden. Het strand hecht zich perfect aan ons eiland.'

'En de ontmoeting heeft plaatsgevonden?'

'De troepen zijn aan land. Zoals verwacht werden ze met open armen onthaald. Op dit moment zoekt Reikon uit waar de stenen zich bevinden. Zodra die in ons bezit zijn, zullen de troepen overgaan tot het inhalen van de slaven.'

Jari stootte Thom aan. Zijn gezicht straalde een en al paniek uit. Een golf van misselijkheid trof Thom als een mokerslag. Hij moest zijn best doen om niet over te geven. Zijn voorgevoel had hem niet bedrogen.

'We moeten hier weg,' fluisterde hij. 'De anderen waarschuwen.'

'Positie?' vroeg het gezicht.

'Gefixeerd. Het eiland ligt vast op de kaart, net als nummer zeven. De coördinaten worden meteen doorgeseind.'

'Eerst de lading afleveren. Daarna kan de expeditie naar eiland zeven onmiddellijk van start gaan. Jullie leveren prima werk. De grootvorst zal tevreden zijn,' zei het gezicht. Om de mond tekende zich een grijns af.

De twee mannen namen de trap aan de andere kant naar beneden. Thom en Jari slopen zo ver ze durfden om te kijken wat de twee gingen doen. De mannen liepen naar de oplichtende panelen en keken naar het grote, zwevende vlak.

Ze gingen met hun handen over de panelen en bij de twee aan elkaar klevende cirkels, net als bij de andere volle cirkel, verschenen allerlei symbolen. Heel even lichtte het hele vlak fel op.

'Ziezo, alle gegevens zijn verzonden. Ik ben benieuwd waar ze blijven. Volgens mij kan het niet lang meer duren. Reikon houdt niet van talmen,' zei een van de mannen.

Daarop liepen ze allebei naar de metalen poort. Die schoof geruisloos open en ging achter hen weer dicht.

Thom kwam als eerste overeind. Hij liep de trap af naar het blauwe scherm en staarde ernaar, alsof hij het vroeg zijn geheimen prijs te geven.

'Het moet iets te maken hebben met ons eiland,' zei Thom, meer tegen zichzelf dan tegen Jari.

'We moeten hier weg, Thom. Ze kunnen elk moment terugkomen.'

'Wacht even. Dit is belangrijk. Ik voel het.'

'Thom, alsjeblieft.'

Thom luisterde niet. Hij bestudeerde het blauwe vlak en probeerde elk detail in zijn geest te prenten. Later kon hij er nog altijd achter proberen te komen wat het te betekenen had. Hij moest er nu vooral voor zorgen dat elk kruisje en elke cirkel een plaats kregen op de tekening die hij in zijn hoofd maakte. Na wat Jari een eeuwigheid leek, liepen ze naar de poort.

'We moeten voorzichtig zijn. Misschien staan die mannen precies voor de poort,' zei Jari.

'Niet te dichtbij, of ze schuift vanzelf weer open,' zei Thom.

'Hoe komen we hier anders uit?'

Voor Thom een antwoord kon geven, schoof de poort open. Jari's mond viel open en zijn adem stokte. Ze stonden oog in oog met een van de mannen die ze boven hadden gezien. Thom reageerde instinctief, alsof de man een krab was die hij te vlug af moest zijn. Hij stormde naar voren. De hevig geschrokken man opende zijn mond om te schreeuwen, maar Thom raakte hem al met zijn volle vuist op zijn adamsappel. De man stootte een rochelend geluid uit en zakte op zijn knieën. Zonder zich verder om hem te bekommeren, zetten Thom en Jari het op een lopen. Ze hadden nauwelijks de grote trap achter zich gelaten toen ze van rechts twee wachters zagen opdoemen.

'Blijf staan!' riep een van de mannen.

'Rennen!' riep Thom. 'Naar de boot!'

Thom en Jari renden de longen uit hun lijf. Meer dan twintig meter voorsprong hadden ze niet. Veel te weinig om de tijd te hebben om het touw van de boot los te maken en weg te varen.

De andere wachters waren in geen velden te bekennen en dat gaf Thom wat moed. Het was twee tegen twee.

'Maak het touw los!' riep Thom toen ze bij het bootje kwamen. Hij stopte abrupt en wachtte de twee wachters vertwijfeld op. In de verte zag hij er toch nog twee komen aanrennen.

'Haast je!'

De eerste wachter stormde met geheven mes op hem af. Thom ontweek de uithaal handig en zette zijn been, zodat zijn aanvaller uit evenwicht gebracht werd en op zijn gezicht viel. De tweede pakte het voorzichtiger aan. Met getrokken mes bleef hij voor Thom staan, zoekend naar een zwak punt in zijn verdediging. Hij hoefde gewoon wat tijd te winnen tot de twee anderen er waren. Thom besefte dat hij er slecht voor stond.

Inmiddels had Jari het touw losgeknoopt. Hij wachtte niet af en sprong, gewapend met een peddel, op de gevallen wachter af die weer overeind krabbelde. De schedel van de man kraakte toen Jari hem vol raakte met de platte kant van de peddel. Vervolgens duwde hij Thom opzij.

'Naar de boot!' riep hij.

In één beweging hief hij de peddel hoog alsof hij de tweede aanvaller op het hoofd wilde slaan. Die hief beschermend zijn mes, maar Jari draaide de peddel bliksemsnel en stootte het handvat met al zijn kracht in het middenrif van de wachter, die naar adem happend neerviel.

Thom dreef al met het bootje van de kant af. Jari nam een aanloop en sprong in het water. Hij hees zich aan boord en zo hard ze konden begonnen ze te peddelen.

Schreeuwend kwamen de twee andere wachters de kade opgelopen. Een van hen gooide zijn mes, dat rakelings langs Jari's hoofd vloog en met een plons in het water terechtkwam.

'Er ligt geen boot,' merkte Thom hijgend op. 'Ze kunnen niet achter ons aan komen. Tegen de tijd dat ze er ergens een hebben gevonden, zijn wij al lang weg.'

Met krachtige slagen voeren ze de haven uit.

'We moeten Abu waarschuwen!' riep Jari tegen de wind in. 'Zonder de stenen is het eiland verloren.'

'Moeten we niet eerst naar het dorp?' schreeuwde Thom.

'Geloof me, zonder de stenen zijn we allemaal verloren. Dan zinkt het eiland. We moeten naar Abu! De Moedertempel moet afgesloten worden!'

Thom wist niet waar Jari het over had, maar hij stelde geen vragen. Als beschermer wist Jari meer dan de andere eilanders.

'Dan varen we de andere kant uit, naar het krabbendorp,' riep hij. 'Zo zijn we het snelst bij het beschermersdorp.'

Terwijl ze beiden verwoed peddelden, dacht Thom aan Enea. Het liefst zou hij zo snel mogelijk naar het dorp gaan om haar te beschermen. Hij kon alleen maar hopen dat ze snel genoeg onraad zou ruiken en ervanonder zou muizen. Door nog harder te peddelen probeerde hij de onrust uit zijn geest te bannen. Dat lukte niet.

20.

Het tappen zat erop voor Enea. Ze veegde een paar zweetdruppels van haar neus en verliet het stalletje, op zoek naar Thom en Jari. Heel wat feestvierders waren behoorlijk luidruchtig geworden en de manier waarop de bezoekers hun drank bestelden, werd botter naarmate ze meer gedronken hadden. Daardoor was haar aanvankelijke enthousiasme wat getemperd. De meesten onder hen gaven haar geen prettig gevoel. De meeste eilanders konden stevig drinken, maar agressief werden ze er niet van. Het effect van het bier op de bezoekers daarentegen was niet zo aangenaam. Ze baande zich een weg tussen de menigte door.

'Hé, schoonheid! Vanwaar die haast?'

Een man met een getatoeëerde arm pakte haar beet bij haar pols. Enea wilde zich losrukken, maar zijn hand omklemde haar pols als een bankschroef.

'Jij bent toch het biermeisje, niet?' zei de man met een brede grijns.

Weer probeerde Enea zich los te wrikken, maar de man loste niet.

'Ik heb daarnet geholpen, als het dat is wat je bedoelt. Maar nu ben ik vrij. Als je me nu wilt laten gaan? Ik ben op zoek naar mijn vrienden.'

'Hola, een meisje met pit. Dat lust ik wel.'

De drie mannen die bij hem stonden, lachten. Enea voelde lichte paniek opwellen. Overal waren mensen, maar niemand leek te merken dat ze werd lastiggevallen.

'Had jullie leider niet gevraagd om gastvrij te zijn? Heb ik dat verkeerd begrepen?'

Opnieuw gelach, maar Enea was niet van plan met zich te laten sollen.

'Met die gastvrijheid bedoelde hij niet dat we ons door de eerste de beste moeten laten lastigvallen,' beet ze van zich af.

'Ha ha, het katje verweert zich. Prima, zo heb ik het graag.'

De man trok Enea naar zich toe, pakte met zijn linkerhand haar kin in een ijzeren greep en kuste haar vol op de mond. Enea stribbelde tegen, maar de man was veel te sterk.

'Was dat nou zo erg?' lachte hij. 'Ik lust nog wel meer, hoor. Zullen we een rustig plekje opzoeken, schoonheid?'

'Laat me met rust of ik schreeuw de boel bij elkaar,' siste Enea woedend.

'Als Torund zijn zinnen op iets gezet heeft, krijgt hij het meestal, schatje,' zei de man.

'Ik denk niet dat de jongedame onder de indruk is van je charmes, man. Je kunt haar beter laten gaan.'

Het was Bor, Thoms vader. Zoals iedereen kende Enea de man van de paalwoning als een rustige, nogal eenzelvige man die zich niet inliet met andermans zaken. Maar nu kwam hij voor haar op.

'Je kunt je hier beter niet mee bemoeien, kerel,' zei Torund.

Daarbij keek hij veelbetekenend naar zijn drie grijnzende vrienden.

'Ik weet niet wat jullie gebruiken zijn,' zei Bor rustig, 'maar je schendt de wetten van de gastvrijheid. Laat dat meisje gaan.'

'Ik pak wat ik wil, oude zeur,' zei Torund.

Hij draaide Enea's arm om en ze schreeuwde het uit. Bors reactie kwam razendsnel: hij plaatste zijn grote vuist vol op het gezicht van Torund, die Enea's arm losliet en achteroverviel. Bor trok Enea naar zich toe en ging beschermend voor haar staan. Bloedend uit zijn neus kwam Torund overeind, zijn blik vervuld van haat. Een van zijn vrienden probeerde hem tegen te houden.

'Het is te vroeg, Torund. We moeten wachten op het teken,' siste hij.

Maar Torund sloeg de hand op zijn arm weg en trok zijn mes.

'Hier krijg je spijt van, kerel.'

Bor stak verzoenend zijn handen naar voren.

'Luister,' zei hij. 'Het spijt me dat ik je heb geslagen, oké? Ik denk dat de drank zijn werk een beetje te goed heeft gedaan. Laten we hier even rustig over pra…'

Verder kwam hij niet. Het mes drong onder zijn ribben door en doorboorde zijn hart. Bor viel neer. Enea begon te gillen. Torund werd weggetrokken door zijn vrienden en enkele tellen later waren ze opgegaan in de massa.

'Ze hebben hem vermoord!' Elfrid had gezien hoe haar man werd neergestoken en knielde huilend naast zijn lichaam. 'Grijp die man! Hij heeft mijn Bor vermoord.'

Ze schudde Bor bij zijn schouders heen en weer, wanhopig proberend zo het leven in hem terug op te wekken. Maar Bor was weg, zijn ziel had zijn lichaam al verlaten. De ogen die strak naar de huilende Elfrid keken, zagen niets meer.

Het feestrumoer verstomde. Het nieuws van de moord ging als een lopend vuurtje door het dorp en van het ene moment op het andere werd elke bezoeker met argwaan bekeken. Een van hen was een moordenaar. Er ontstonden heftige discussies die al snel ontaardden in hoogoplopende ruzies. Vrouwen huilden en gilden, mannen riepen door elkaar heen, sommigen schreeuwden om wraak. De chaos was compleet. Op enkele plaatsen ontstonden schermutselingen; er werd wat getrokken en geduwd, maar de messen bleven aan de riemen hangen, hoewel het ernaar uitzag dat de situatie op elk moment kon ontploffen.

Torund en zijn vrienden bereikten de rand van het dorp. Het leek hun verstandiger even van het toneel te verdwijnen. Zes potige eilanders versperden echter de weg. Twee van hen hadden een riek vast, een derde een spade. Uit hun houding bleek duidelijk dat ze bereid waren de werktuigen als wapen te gebruiken.

'Waarom zo veel haast? Hebben jullie misschien iets met die moord te maken?'

'Laat ons erdoor.'

'Kijk, zijn mes! Er hangt bloed aan. Dat is hem, jongens!'

De eilander liep met zijn riek voor zich uitgestoken op Torund af. De vier mannen trokken hun messen en weken uit elkaar.

'Kom maar op,' zei Torund smalend. 'Mijn mes heeft nog honger.'

De eilander stak toe, maar Torund ontweek de aanval handig door opzij te springen en plantte met één vloeiende beweging zijn mes in de heup van zijn aanvaller. Die viel met een schreeuw van pijn op de grond. De andere man met de riek viel aan en stak Torund in de schouder. Tijd om de riek terug te trekken kreeg hij niet, want het mes van een van de anderen boorde zich op hetzelfde moment door zijn keel. Niet gewend om te vechten liet de man met de spade zijn werktuig vallen en zette het samen met de drie anderen op een lopen.

'Ze vermoorden ons!' riepen ze, terwijl ze het dorp inliepen. 'Ze willen ons allemaal afmaken.'

De paniek was compleet. Overal trokken de bezoekers hun lange messen en de eilanders werden als schapen bij elkaar gedreven. Stalletjes werden omver geworpen, bier vloeide over de grond, mensen gleden uit. Er werd gegild en gejammerd. De enkele beschermers die aanwezig waren probeerden zich te verzetten, maar hun stokken vermochten niets tegen het vlijmscherpe staal van de bezoekers. Ze werden genadeloos afgemaakt. Midden in de chaos zat Elfrid snikkend bij het lichaam van Bor, zich niet langer bewust van het tumult om haar heen. En ergens in de menigte liep Enea, huilend en helemaal in de war, op zoek naar Thom. Hoe moest ze hem vertellen dat zijn vader dood was? Ze moest hem vinden en ontsnappen uit deze waanzin. Het feest was voorbij.

21.

'Ik moet u eigenlijk bedanken: uw felle baken heeft onze zoektocht heel wat makkelijker gemaakt,' zei Reikon. 'We zijn anderhalf jaar onderweg geweest. Op een nacht zagen we het licht van het baken aan de hemel. Toen hebben we onmiddellijk koers hierheen gezet.'

Abu keek verrast.

'Bedoelt u dat u dat eiland kunt besturen?'

Reikon glimlachte, verheugd om de verbazing van de oude beschermer.

'U zou versteld staan van wat wij allemaal kunnen,' zei hij. 'Eigenlijk is ons eiland een enorm vaartuig.'

Abu liet de woorden tot zich doordringen. Een eiland dat doelgericht kon varen?

De verwarring in Abu's blik ontlokte Reikon een flauwe glimlach.

'We zijn op de hoogte van de profetie en we weten dat primitieve volkeren zoals het uwe wachten op een eiland dat komt aandrijven. Het was niet meer dan logisch om van de profetie gebruik te maken. We bouwden een eiland na, zodat we overal met open armen ontvangen zouden worden. Bovendien biedt zo'n kunsteiland heel wat meer comfort dan een schip. Ik zou u ons eiland en zijn technologie graag laten zien, maar ik heb een vermoeden dat dat niet mogelijk zal zijn.'

Hij nipte van zijn thee alsof hij niet meer dan een beleefdheidsbezoek aflegde, maar zijn woorden klonken berekenend en kil. Reikon mocht niet onderschat worden en dat wist Abu.

'Waarom was u op zoek naar ons?' vroeg Abu voorzichtig, tegelijkertijd bang om het antwoord te horen.

'Om dezelfde reden waarom we de andere eilanden zoeken. U bent het achtste dat we vinden. Nummer acht van twaalf.'

Abu kon zijn verbazing niet verbergen. Ook al voelde hij dat Reikon hier niet met goede bedoelingen was, hij kon zijn honger naar kennis niet wegstoppen. Hij slikte.

'Er zijn echt... twaalf eilanden? De profetie klopt dus?'

'Er *waren* twaalf eilanden,' verbeterde Reikon hem. 'Zes daarvan zijn al gezonken, vrees ik.'

Hij grijnsde met een blik die een mengeling van geveinsd medelijden en macht uitstraalde. Abu merkte dat de man wist dat hij al had gewonnen, ook al moest de confrontatie nog komen. Een somber gevoel schoof als een donkere wolk over Abu's hart. Bedroefd besefte hij dat hij gefaald had in zijn rol van opperbeschermer. De eilanders hadden een blind vertrouwen in hem en nu leverde hij hen over aan de wil van deze kille man. Hij zou zich verzetten, dat was zeker, maar hij wist dat hij geen partij was voor deze tegenstander. Via Reikons voorhoofdchakra keek hij in de geest van een man die niet wist wat verliezen betekent.

Hij dronk van zijn thee en proefde de intense smaak van salie op zijn tong. Hij wist dat dit de laatste keer was dat hij deze smaak zou ervaren.

'Wij staan veel verder dan u. Onze wereld heeft zich ontwikkeld en bedrijft een wetenschap waar u zich zelfs geen voorstelling van kunt maken. Het kunsteiland waarmee wij ons verplaatsen is maar een klein voorbeeld van wat onze wetenschap vermag. Maar toch hebben we een probleem. Ons thuiseiland, Zeneria, is groter, veel groter dan dat van u. We hebben meer stenen nodig om het drijvende te houden. Een aantal van onze kristallen raken uitgeput. Ze moeten vervangen worden.'

Het doel van Reikons bezoek begon Abu te dagen.

'Wij hebben uw kristallen nodig,' zei Reikon.

Abu keek hem een tijd zwijgend aan en zei toen: 'Dan zinkt dit eiland.'

Reikon opende zijn handen: 'Een loepzuivere conclusie waar ik niets tegenin kan brengen. Maar troost u, veel van uw mensen zullen het overleven.'

Abu keek hem fronsend aan.

'We hebben werkkrachten nodig, veel werkkrachten. Wie sterk is, nemen we mee.'

'Dat kunt u niet maken.'

'Ik zou niet weten waarom niet. U bent zo dom om geen wapens te dragen. Uw mensen zijn geen partij voor mijn geoefende soldaten. Het spijt me.'

Reikon dronk het kopje leeg.

'Heel vriendelijk trouwens om ons met die karren hiernaartoe te brengen. Dat lost meteen het probleem van het vervoer op.'

Reikon kwam overeind en zette het kopje neer.

'Bedankt voor de thee. Echt lekker. Ik moet nu helaas gaan. We hebben een zware vracht te vervoeren.'

'Ik ben bang dat ik dat niet kan toestaan,' zei Abu doodkalm.

Hij greep naar zijn rituele stok en ging voor de deur staan om Reikon het buitengaan te beletten.

'Een moedige daad van een dwaze, oude man,' lachte Reikon schamper. 'Denkt u nu echt dat u mij kunt tegenhouden met een wandelstok die bedoeld is om een kreupele grijsaard overeind te houden? Doe de deur open en kijk naar uw dorpsgenoten.'

Abu deed het en zag de vermoorde beschermers op het podium liggen. Een van hen had een gebroken theepot in de hand. De mannen van Reikon hadden hen bij verrassing neergestoken. Het leek erop dat ze zelfs niet hadden kunnen terugvechten.

Abu voelde een steek van verdriet door zich heen gaan. Het was voorbij. Maar hij was een beschermer; het eiland rekende op hem. Als het van hem afhing, bleven de stenen daar waar ze thuishoorden. Hij richtte zijn blik op de voorhoofdchakra van Reikon en dacht aan alle trainingen die hij in zijn leven had meegemaakt. Nooit had hij gedacht ooit echt te moeten vechten.

Net op dat moment naderden twee van Reikons mannen hem van achteren. Hij zag ze niet, maar de korte beweging van Reikons ogen verried wat er achter hem gebeurde. Zonder zich om te draaien stootte Abu keihard achterwaarts met zijn rituele stok. De stoot trof de man precies in zijn middenrif. Er klonk alleen een zucht voor hij bewusteloos in elkaar zakte. De andere uitte een luide kreet en ging in de aanval. Verrassend snel voor een man van zijn leeftijd draaide Abu zich om en sloeg met zijn stok tegen de pols waarin de aanvaller zijn lange mes vasthad. Met een schreeuw van pijn liet hij het mes vallen. De volgende stoot raakte hem tegen zijn slaap. Hij zakte ineen als een pudding.

De schreeuw had de anderen aangetrokken. Tien mannen stonden oog in oog met de oude opperbeschermer. Blijkbaar waren meer van Reikons mannen hen tot hier gevolgd. De man bezat geen enkel eergevoel, dacht Abu spijtig. Een van de mannen viel aan, maar Abu stapte simpelweg opzij en stak de stok tussen de benen van de man. Met veel gedruis viel hij Abu's hut binnen en Reikon kon maar net op tijd opzij springen.

'Halt!' riep Reikon. 'Laat hem!'

Zijn stem klonk autoritair. Zijn mannen deden automatisch een stap achteruit. Reikon kwam langs Abu de hut uit.

'U verrast me, oude man. Ik had niet gedacht dat u nog veel meer kon dan thee schenken en praten. Blijkbaar bent u een strijder. U verdient het om in een eerlijk gevecht ten onder te gaan. Deze man zal alleen tegen mij vechten!'

Reikon zette zijn benen wijd, klaar voor het gevecht.

'Wat gebeurt er als ik win?' vroeg Abu terwijl hij dichterbij kwam.

Op drie passen van Reikon bleef hij staan, zijn voeten nauwelijks uit elkaar, de linker een beetje voor de rechter.

'Geloof me, oude man,' zei Reikon grijnzend. 'U zult niet winnen.'

22.

De kleine kano was bijna bij het krabbenvangersstrand. Links van hen zagen Thom en Jari de kolkende watermassa die onvermoeibaar tegen het rif bij de
rotsen beukte. Thom vroeg zich af of hij hier nog ooit zou
jagen. Als Jari gelijk had, bestond de kans dat het eiland
zou verdwijnen met alle mensen die er woonden. Ze moesten gewoon op tijd komen. Hij probeerde nog harder te
roeien, maar zijn armen weigerden. Hij vroeg al de hele
tocht het uiterste van zijn lichaam, meer reserves had hij
niet.

Nog voor de kano het zand raakte, sprong Thom eruit. Jari
volgde zijn voorbeeld en samen trokken ze het bootje een
eindje het strand op. Ze namen heel even de tijd om uit te
blazen.

'We kunnen hier niet blijven staan. We moeten voortmaken.'

'Ik weet het,' hijgde Jari, maar hij maakte geen aanstalten
om in beweging te komen.

Hij was het roeien niet gewend en de tocht had hem afge-
mat. Thom liep naar zijn eigen kano die wat verder op het
strand lag. Hij pakte er drie werpspiesen uit en gaf er een
aan Jari. Die pakte hem aan, ook al wist hij zo'n ding niet
te gebruiken.

'Het is beter dan niets. We weten niet wat ons te wachten staat,' zei Thom.

Zijn gezicht stond zorgelijk. Jari deelde die bezorgdheid. Tijdens de tocht hadden ze geen woord gezegd en de hele tijd waren gezichten in Jari's hoofd voorbij geflitst: zijn ouders, Abu, de beschermers met wie hij goede vrienden was geworden... en Enea. De tocht over zee had lang geduurd, veel te lang, en nog hadden ze een hele weg te gaan voor ze in het beschermersdorp waren. Als ze maar niet te laat kwamen.

Jari beet op zijn lip. Hij mocht de moed niet opgeven. Hij omklemde de schacht van de werpspies en volgde Thom naar het krabbenvangersdorp. Daar dronken ze en vulden allebei een waterzak, die ze over hun schouder hingen. Zonder dralen liepen ze het bos in; het smalle pad vormde de snelste weg.

Ze liepen zo hard ze konden, maar lieten hun waakzaamheid geen moment verslappen, ook al was er weinig reden voor de bezoekers om hier rond te hangen. Als ze het inderdaad op de stenen voorzien hadden, zouden ze die zo snel mogelijk via de weg en het dorp naar het strand willen brengen.

We komen eraan, Abu. We hebben een boodschap. Jari probeerde zijn gedachten vleugels te geven. Als er een kleine kans was om Abu op die manier te bereiken, moest hij het proberen. *Vertrouw niemand. We komen eraan.* Hij liep vlak achter Thom aan en verwonderde zich over het uithoudingsvermogen van zijn vriend. Zijn longen brandden en zijn beenspieren deden pijn, maar Thom rende verder alsof hij niets voelde. Jari dacht er niet aan achter te blijven. Hij zou blijven rennen tot hij erbij neerviel.

Thom had zijn denken uitgeschakeld. Op dit moment was er maar één ding dat hem dreef: zo snel mogelijk rennen. Hij dacht niet aan wat er na het rennen kwam, dacht niet aan wat ze mogelijk zouden aantreffen. Hij moest alleen maar rennen.

23.

Hijgend van inspanning tilden Reikons mannen de laatste amethist op de kar. Elke kar bevatte nu vier paarse stenen. Het was een hele klus geweest om de twaalf stenen van hun plaats in de tempel naar de karren te brengen en de mannen waren bekaf, maar Reikon gunde hun geen rust. Ook al was dit duidelijk geen volk van krijgers, hij wilde zo vlug mogelijk van het eiland af. Reikon was een doorgewinterd krijgsman; zijn jarenlange ervaring had hem geleerd altijd rekening te houden met het onverwachte, vooral wanneer hij zich op vijandelijke bodem bevond. Die stelling was nog maar eens bevestigd toen twee beschermers bij de karren waren opgedoken terwijl ze de stenen aan het bergen waren. Hij had er het raden naar waar die twee mannen, ze waren allebei nog erg jong, zo ineens vandaan kwamen. Hij had zijn soldaten de instructie gegeven iedereen te doden en ze hadden hem ook verzekerd dat ze dit hadden gedaan. De twee jonge mannen hadden gevochten als leeuwen en ook al waren ze, net als die oude Abu, alleen gewapend met een stok, toch hadden zijn mannen heel wat moeite gehad om hen te overwinnen. Met die eenvoudige stokken hadden ze twee van zijn soldaten gedood. Reikon keek naar de twee dode lichamen van de jonge beschermers op de trappen van de tempel. Hij zou pas rust hebben als de zee zich opnieuw tussen de twee eilanden bevond.

De stevige pony's werden aangespoord en de drie karren zetten zich in beweging. Plaats om zelf ook op de karren te zitten was er niet meer. Reikon en zijn mannen moesten lopen. Hun twee gevallen kameraden lieten ze achter in het zand. Voor Reikon had een mensenleven weinig waarde.

Ook al zetten de soldaten er flink de pas in, het duurde toch een hele tijd voor ze het dorp bereikten. Ze hoorden het paniekerige geschreeuw eerder dan dat ze iets konden zien. Reikon stak zijn arm op en beval zijn kleine colonne te stoppen. Zijn alarmmodus trad in werking. Hij had duidelijke instructies gegeven pas in actie te komen wanneer hij met de karren in zicht kwam. Er moest iets gebeurd zijn.

Gespannen overwoog Reikon de mogelijkheden. De kans dat zijn mannen waren overvallen was gering, laat staan dat ze zich zouden hebben laten verrassen. Dat iemand zijn bevelen zou negeren, achtte hij ook onmogelijk. Iedereen wist dat zoiets slecht afliep. Wat was er dan gebeurd? Door hier te blijven staan, zou hij het nooit te weten komen. Hij had weinig mannen, maar hij had geen andere optie. Hij liet drie soldaten achter bij de wagens, zodat er bij elk span paarden iemand zou zijn. De overige vijf gingen met hem mee. Toen ze dichterbij kwamen, zag hij mensen bijeengedreven worden. Zijn mannen hadden in ieder geval de controle, maar waarom hadden ze niet op hem gewacht? Reikon voelde woede in zich opborrelen en zijn humeur bereikte een dieptepunt nog voor hij een voet in het dorp zette.

'Ga de karren halen,' zei hij bars tegen een van zijn mannen. Hij pakte de eerste de beste soldaat in het dorp ruw bij de schouder.

'Wat is hier aan de hand? Wie heeft het bevel hiertoe gegeven?' snauwde hij.

'Er brak een opstand uit, heer. We werden aangevallen,' hakkelde de soldaat geschrokken.

'Aangevallen? Door een stelletje boeren? Onmogelijk.'

Hij liep verder, op zoek naar een van zijn luitenants. Een jongen van een jaar of zestien kwam zijn richting uitgerend, achternagezeten door twee van zijn soldaten. Reikon trok zijn mes en haalde uit terwijl de jongen voorbijrende. Hij keek zelfs niet over zijn schouder om te zien hoe de jongen met overgesneden keel neerviel. De twee soldaten stopten en staarden verbijsterd naar hun ziedende hoofdman.

'Waar is Bodark?' bulderde Reikon.

Links en rechts zag hij groepjes bange mensen, hier en daar lag een lijk. De chaos was vernederend. Hoe moeilijk was het om bevelen ordelijk uit te voeren? Waar zat die verdomde luitenant? Verderop probeerden twee soldaten een vrouw van middelbare leeftijd overeind te trekken. De vrouw klampte zich vast aan het dode lichaam van een man. Net toen Reikon daar aankwam, zag hij zijn luitenant.

'Bodark!'

Zijn stem bulderde door de straat. De luitenant kwam onmiddellijk aangerend.

'Heer,' begroette hij zijn hoofdman kort. Hij hijgde en het zweet stond op zijn gezicht.

'Wat voor de duivel is hier aan de hand?' snauwde Reikon. 'Wie heeft het bevel gegeven om die mensen bij elkaar te drijven? Wat hebben die lijken te betekenen?'

Bodark slikte en keek zijn hoofdman onzeker aan.

'Ik, heer,' zei hij. 'Er brak een opstand uit en ik achtte het beter het plan vervroegd in werking te stellen.'

'Hoezo, een opstand? Wil je beweren dat die boerenkinkels uit het niets de wapens opnamen tegen jullie? Ze hebben helemaal geen wapens, man!'

Intussen bleven de twee soldaten tevergeefs proberen de vrouw van de dode man te scheiden. Ze gilde zo hard dat Reikon zichzelf nauwelijks kon verstaan. Woest stapte hij op de soldaten af.

'Waar zijn jullie verduiveld mee bezig? Het lijkt wel of jullie een varken kelen.'

'Ze wil hem niet loslaten, heer.'

Reikon keek naar de vrouw. Ze snikte hevig terwijl ze zich aan het bebloede lichaam bleef vastklampen.

'Was hij je echtgenoot?' vroeg hij, zachter nu.

De vrouw knikte terwijl ze met betraand gezicht naar hem opkeek.

'En je wilt bij hem blijven?'

Opnieuw knikte de vrouw en ze leek iets rustiger te worden. Reikon had zijn mes nog in de hand en stootte bliksemsnel toe. Het lange lemmet verdween voor de helft in haar keel. De vrouw sperde haar ogen wijd open en stierf reutelend nog voor haar hoofd de grond raakte.

'Zo, opgelost,' snauwde Reikon de verbouwereerde soldaten toe.

Toen richtte hij zich opnieuw tot Bodark.

'Ik wil weten wat die boerenkinkels ertoe heeft aangezet zich tegen ons te verzetten. Zoek het uit! En zorg er eerst voor dat dat boeltje hier wat ordelijk verloopt. Kinderen en jongeren neem je mee. Wie zwak is of ouder dan vijftig blijft hier. Daar kunnen we niets mee doen, met baby's ook niet.'

Bodark maakte zich uit de voeten en strooide links en rechts bevelen in het rond. Reikon keek ontzet om zich heen. Deze ongeregelde actie beschouwde hij als een persoonlijke nederlaag. Hier zou iemand voor boeten.

24.

Op tweehonderd meter van het dorp bleven Thom en Jari staan. Hijgend luisterden ze naar de geluiden van het woud dat het beschermersdorp omringde. Eerst was er alleen het ruisen van bloed in hun oren en het oorverdovende bonzen van hun hart. Er waren in ieder geval geen verdachte geluiden te horen. Misschien waren ze toch nog op tijd. De bezoekers hadden immers geen enkele reden om overhaast te werk te gaan. Voor zover zij wisten, was er niemand op de hoogte van hun plannen. Toen ze dichterbij kwamen, viel Jari vooral de stilte op. Het was altijd heel rustig in het beschermersdorp, maar juist daardoor was elk geluid duidelijk te horen. Iemand die op gedempte toon sprak, het klakken van de stokken tijdens de oefeningen... wat dan ook. Nu hoorden ze helemaal niets. Zelfs het woud leek stiller dan anders, alsof hier, aan de rand van het dorp, de vogels vergaten te fluiten. Een angstig voorgevoel maakte zich van Jari meester en hij versnelde zijn pas, maar Thom hield hem tegen. Hij legde zijn vinger tegen zijn lippen.

'We weten niet of het veilig is,' fluisterde hij.

Behoedzaam liepen ze het dorp in, Thom met zijn werpspies in de aanslag. Het eerste wat ze zagen, waren de bebloede lichamen van drie beschermers bij het oefenveld. Een korte blik volstond om vast te stellen dat alle hulp te laat kwam.

De opkomende paniek verbijtend liepen ze verder. Op de trappen van de tempel herkende Jari de lichamen van de twee andere beschermers. Waar was Abu? In paniek liep Jari naar de hut van de opperbeschermer. De bloedvlek op het zand en de sporen naar de hut deden hem het ergste vermoeden.

Abu lag roerloos naast een geopende kist. In zijn hand klemde hij een perkamentrol. De planken onder hem waren roodgekleurd van zijn bloed. Jari liet zich op zijn knieën vallen en schoof zijn hand onder het hoofd van zijn meester. Thom bleef rechtop staan, elke spier gespannen. Hij verwachtte elk moment aangevallen te worden.

De oude man opende zijn ogen. Er zat nog nauwelijks leven in. Toen hij Jari herkende, bewoog hij de krachteloze vingers van zijn linkerhand in een flauwe groet.

'Je bent gekomen, Jari,' fluisterde hij. 'Ik heb op je gewacht.'

'Stil, Abu,' zei Jari zacht. 'Zeg maar niets. U moet rusten. U hebt veel bloed verloren.'

Abu bewoog moeizaam zijn hoofd heen en weer en bracht een raspend geluid voort.

'Het is te laat, Jari. Waar ik heen ga, zal ik tijd genoeg hebben om te rusten. Is dat Thom... daar bij je?'

Thom liet zich nu ook op één knie zakken, zodat de man hem beter kon zien.

'Jullie moeten naar me luisteren. Het eiland... is in jullie handen.'

Jari vocht tegen zijn tranen. Hij wilde Abu duizend vragen stellen, maar dwong zichzelf te luisteren.

'Reikon heeft de stenen gestolen... hij wil slaven... het eiland... ze komen terug... ander eiland...'

Abu sloot zijn ogen. Jari keek in paniek naar Thom. De paar woorden van Abu bevestigden wat ze in de vreemde tempel hadden gehoord.

Met een laatste krachtsinspanning keek Abu hen weer aan en fluisterde: 'Jullie kunnen de eilanders niet helpen... Ze zijn met te veel... Red het eiland... de stenen... er zijn er nog meer... Thom is... bewaker... weet het niet... krabben... grot...'

Abu's ogen begonnen weg te draaien.

'Het perkament... Thom... geheim... spijt me... bezoekers... jouw wereld...'

Het gezicht van Abu zag al vaalgrijs; het leven sijpelde uit hem weg.

'Jari... toekomst... red... eiland... drie dagen... ik vertrouw... Jari... voorhoofdcha...'

Met een laatste zucht vloeide het laatste beetje leven uit Abu weg. Met dode ogen bleef hij Jari aanstaren. Jari begon te hijgen, hij vocht tegen zijn tranen, vocht tegen zichzelf, vocht tegen de wereld. Het was niet eerlijk dat ze Abu van hem afpakten, het was niet eerlijk dat de stenen weg waren. Hij had Abu nodig, het eiland had hem nodig.

Thom sloot Abu's ogen en legde zijn hand op de schouder van zijn vriend. Toen brak Jari. Hij leunde tegen Thoms schouder en liet al zijn verdriet en angst ontsnappen in een langgerekte schreeuw. Hij begon te snikken. Thom sloeg zijn armen om hem heen en zo bleven ze enkele ogenblikken zitten, hun wereld vernauwde zich tot alleen hun vriendschap, verdriet en angst overbleven.

Jari droogde zijn tranen en keek zijn vriend aan, zijn blik één groot vraagteken. Voorzichtig pakte Thom het perkament uit Abu's dode hand. Hij bedwong het trillen van zijn vingers terwijl hij de leren veter rond het perkament losknoopte. Hij hield drie beschreven vellen in zijn hand.

Vandaag is er iets voorgevallen dat mogelijk ooit de loop van de geschiedenis zal veranderen, niet alleen de geschiedenis van het eiland, maar van de hele wereld. Ik schrijf alles op, maar zal het voorlopig met niemand delen. Misschien later, ooit, als de tijd er rijp voor is.

Vanochtend kwam Vic naar me toe, een jonge krabbenvanger. Hij is net achttien geworden, maar door zijn uitzonderlijke kwaliteiten is hij nu reeds belast met de bewaking van de grot waarvan het voortbestaan van het eiland kan afhangen. Vic had iets bij zich dat hij helemaal in doeken had gewikkeld. Hij stond erop naar binnen te gaan voor hij het openmaakte. Tot mijn verbazing bleek de bundel doeken een kind te bevatten. Vroeg in de ochtend had Vic, toen hij bij de grot was, een bootje opgemerkt. Er zat een hoogzwangere vrouw in. Ze had geen eten bij zich en was er slecht aan toe. De vrouw beviel in de grot en stierf kort nadat haar zoon ter wereld was gekomen. Voor ze stierf, gaf ze Vic een brief, geschreven op een vreemd soort perkament. Ik voeg de brief bij dit document.

Wat de toekomst zal brengen kan niemand weten, maar mogelijk zal de jongen er een belangrijke rol in spelen. Ik heb Vic gevraagd te zwijgen. Als niemand hier iets van afweet, zal de jongen kunnen opgroeien als een gewoon kind. In het hoofddorp is een vrouw hoogzwanger. Ik weet dat haar kind nu elke dag geboren kan worden. Ik zal haar en haar man vragen of ze zich ook over de jongen willen ontfermen. De geboorte van een tweeling is altijd mogelijk. Niemand hoeft er zich vragen bij te stellen.

Mijn gemoed wordt zwaar terwijl ik dit opschrijf. Ik vrees dat er een dag komt waarop niets meer hetzelfde zal zijn. Mogelijk maakt dit kind deel uit van de profetie. Ik kan alleen maar raden naar de manier waarop. Voorlopig is het mijn taak het kind in leven te houden en ervoor te zorgen dat het een veilig en geborgen onderkomen krijgt.

Thom gaf Abu's verslag aan Jari. Hij was razend benieuwd naar het vervolg. Het materiaal van de brief voelde vreemd aan. Het was oud en lichtjes verkleurd en heel glad. Hij vroeg zich af wat het was.

Aan wie deze brief leest, gegroet!

Zeneria is stervende. De vreedzame samenleving die dit land altijd heeft gekend, valt uit elkaar. Eens te meer heeft de draak die zichzelf vooruitgang noemt, ons in zijn greep. Langer geleden dan iemand zich kan voorstellen, overkwam dit de wereld al eens. Ternauwernood overleefde een deel van de mensheid en verzekerde het voortbestaan van de eigen soort in Zeneria, het enige overgebleven land na De Grote Ondergang. Toen bleek dat de landkorst barsten vertoonde, werden twaalf nieuwe tempels gebouwd, elk met een ingenieus kristalsysteem om de bedreigde stukken land drijvende te houden, mochten ze daadwerkelijk afscheuren. En dat gebeurde, twaalf stukken land dreven weg van Zeneria, als eenzame eilanden in een onmetelijke oceaan. Vele generaties lang hoorde Zeneria niets van het verloren land. Maar de Skyrth, een sekte die technologie verafgoodt, heeft een gooi naar de macht gedaan. Het feit dat u deze brief onder ogen krijgt, bewijst dat Zenerius XV de strijd tegen de alsmaar machtiger wordende sekte heeft verloren. Het kristalsysteem dat Zeneria drijvende houdt, vertoont ernstige defecten en de Skyrth heeft plannen om de andere eilanden op te sporen en de kristallen te roven om te verhinderen dat Zeneria zinkt.

Het vooralsnog ongeboren kind dat deze brief bij zich draagt, is de enige troonopvolger van Zeneria. De Skyrth wil de hele koninklijke bloedlijn uitroeien en daarom is het kind hier niet veilig. We sturen zijn moeder, koningin Leila, de zee op, en bidden dat ze tijdig een van de eilanden zal bereiken. Het kind draagt de hoop van heel Zeneria in zich. U, die deze brief leest, we bidden u zorg te dragen voor Leila, onze koningin, en haar kind. Zeneria biedt u haar eeuwige dankbaarheid aan.

De koningsgezinden

Achter de brief bevond zich nog een perkamentvel. Het geschrift was duidelijk opnieuw dat van Abu.

De jongen is geplaatst bij zijn nieuwe ouders. Hun eigen kind werd vannacht dood geboren. Ondanks hun verdriet zijn ze bereid de jongen op te voeden als hun eigen kind. Niemand zal te weten komen dat ze zijn echte ouders niet zijn. Het doodgeboren kind heb ik op een geheime plek met gepast eerbetoon begraven. De ouders waren bereid de jongen bij de naam te noemen die zijn eigen moeder hem met haar laatste adem heeft gegeven. Enkel de ouders, Vic en ikzelf kennen de ware identiteit van de jongen. Ik kan onmogelijk voorzien of hij ooit zijn koninklijke rol zal opnemen. Het geheim van zijn identiteit zal ik enkel meedelen aan mijn opvolger.

Thom gaf het laatste vel door aan Jari. Zijn hoofd tolde, terwijl hij de laatste woorden van Abu probeerde te rijmen met wat hij net had gelezen. Hij had zoveel vragen... en niemand die hem een antwoord kon geven.

'Wat heeft dit allemaal te betekenen?' vroeg Jari, terwijl hij de vellen weer oprolde.

'Ik weet het ook niet, Jari. Ik... het is allemaal zo verwarrend. Maar we moeten naar het dorp.'

'Je hebt zelf gehoord wat Abu zei, ze zijn met te veel. Wat kunnen we doen?'

'Wil je hen dan aan hun lot overlaten?'

'We moeten... Abu en de anderen... we moeten hen begraven.'

Thom pakte Jari bij de arm en keek hem indringend aan.

'Dat kan wachten, Jari. Ik weet dat het pijn doet, maar we kunnen niets meer voor hen doen. Voor de anderen misschien wel.'

'Maar het eiland... de stenen. Als we niets doen, zinken we binnen drie dagen.'

'Wat kunnen we doen, Jari?'

'Abu had het over andere stenen. Hij had het over jouw grot. De krabben.'

Thom dacht even na.

'Ik ga niet eerst naar de grot. Ik laat het dorp niet in de steek. Doe jij wat je wilt, ik ga kijken. Misschien zijn de kristallen daar zelfs nog.'

Jari keek Thom aarzelend aan en nam toen een beslissing. Hij legde de brieven in de kist en liep naar de deur.

'Jij je zin. Maar als ze weg zijn, gaan we meteen naar de grot.'

Thom knikte. Jari keek nog even naar het levenloze lichaam van zijn leermeester en prevelde een onhoorbaar afscheid. Buiten zag hij naast de grote bloedvlek in het zand de rituele stok van de opperbeschermer liggen. Hij gaf zijn werpspies aan Thom en raapte de stok op. Een onbestemd gevoel ging door hem heen en bezorgde hem een rilling.

'We gaan,' zei hij.

25.

De trieste stoet bewoog zich over het strand, in de richting van de kloof. De paarse amethistkristallen op de karren weerkaatsten het zonlicht alsof ze een laatste groet brachten aan het ter dood veroordeelde eiland. Achter de drie karren liepen honderden eilanders met gebogen hoofden, de handen gebonden. De kinderen hadden hun handen vrij en hielden zich doodsbang vast aan de rokken van hun moeders. Velen huilden. De gezichten van de mannen stonden grimmig; ze waren beroofd van hun vrijheid en hun trots en hadden niets kunnen doen om hun gezinnen te beschermen. Sommigen waren lichtgewond. Wie zwaargewond was, hadden de mannen van Reikon achtergelaten, samen met diegenen die te oud of te jong waren om van enig nut te zijn op de plek waar de gevangenen naartoe gebracht werden. De colonne werd geflankeerd door twee rijen soldaten. De lange messen van sommigen onder hen zaten nog onder het bloed van de eilanders die ze hadden afgeslacht.

Enea deed haar best om haar tranen te bedwingen. Toen ze Thom en Jari niet vond, had ze geprobeerd het dorp uit te vluchten. Bijna was ze daarin geslaagd, maar twee soldaten hadden haar gezien en hadden de achtervolging ingezet. De mannen waren sneller en hadden haar bij haar haren naar het plein voor de tempel gesleept. Als beesten waren de eilanders bij elkaar gedreven en toen hadden ze het bevel gekregen in rijen van drie naar het strand te lopen. Voortdurend had Enea gewacht op een kans uit de rij te ontsnappen, maar de bewakers waren te dichtbij.

De ouderen keken van een afstand toe hoe ze werden afgevoerd. Sommigen huilden, anderen stonden er als verdoofd bij, alsof ze nauwelijks beseften wat er aan de hand was. Kleine kinderen stonden verweesd te huilen. Een moeder die uit de rij ontsnapte om naar haar kind te rennen, werd voor de ogen van haar peuterzoontje neergestoken. Er was geen enkele mogelijkheid om te ontkomen. Enea begreep niet hoe deze nachtmerrie hun had kunnen overkomen. Ze had al haar kracht nodig om haar verstand niet te verliezen.

De eilanders liepen achter de karren aan de kloof in. Aan weerskanten werden ze ingesloten door metershoge, donkere rotsen. De kloof was zo'n vijftig meter lang en kwam uit op een dorre vlakte: donkere, onvruchtbare zandgrond, bezaaid met stenen. Twee kilometer verder, midden in de vlakte, bevond zich een aantal lage gebouwen.

Toen de laatste soldaten de kloof ingingen, maakte het eiland zich los. De beweging was aanvankelijk niet merkbaar. Daar waar de twee stranden elkaar raakten, sijpelde water naar boven, eerst aarzelend, maar naarmate het eiland verder weg dreef, kwam de zee ongeduldig opzetten, alsof ze zo snel mogelijk haar rechtmatige plaats weer wilde opeisen. Water overspoelde het zand en de afstand tussen de twee eilanden werd snel groter.

'Zie je die gebouwen daar, schoonheid?'

Enea keek opzij en zag dat Torund, de man die haar had willen aanranden, naast haar was komen lopen. Zijn rechterschouder en -arm zaten onder het bloed.

'Daar krijg je samen met je vrienden een mooi onderkomen. Geen mogelijkheid om te ontsnappen. En ik heb nog iets van je tegoed, schoonheid,' zei hij grijnzend. 'Helaas voor jou is die oude dwaas dood; hij zal je niet meer helpen. Torund krijgt altijd zijn zin. Ik beloof dat je niet te lang op me zult moeten wachten.'

Lachend versnelde hij zijn pas en liep verder naar voren. Enea voelde het bloed uit haar gezicht wegtrekken. Misselijkheid overmande haar. Ze liep uit de rij, liet zich op haar knieën vallen en gaf over. Hijgend en ellendig bleef ze op handen en knieën zitten, maar met een venijnige trap tegen haar ribben dwong een soldaat haar weer op te staan en haar plaats in de colonne in te nemen. Enea keek naar het mes aan zijn riem. Ze overwoog een poging te doen het te pakken te krijgen. Zich het leven benemen was misschien de beste optie die ze had.

Toen ze de gebouwen naderden, werd duidelijk dat het terrein met minstens drie meter hoge prikkeldraad was afgezet. De vrouwen werden van de mannen gescheiden, ongeacht de leeftijd. Voor beide groepen was er een aparte omheining. De poorten stonden open en de gevangenen werden naar binnen geleid. Wie niet snel genoeg door de poort ging, kreeg klappen. Het gejammer van de vrouwen en het gehuil van de kinderen sneed als een vlijmscherp mes door de dorre vlakte en overstemde het geknarsetand van de machteloze mannen.

26.

Het geweeklaag trof Jari en Thom als een bliksemschicht en benam hun de adem. Bang voor wat ze te
zien zouden krijgen, liepen ze het dorp in. Bloed, gewonden,
doden, huilende kinderen, van emotie bevende bejaarden.
Thom verbeet zijn emoties en liep door de straten, die
getuigden van het drama dat zich hier had voltrokken.
Toen hij de twee lichamen zag liggen, leek alle kracht in
één keer uit hem weg te stromen. Voetje voor voetje en
bevend als een rietstengel kwam hij dichterbij. Voor zijn
voeten lagen Bor en Elfrid, zijn ouders. Ongelovig bleef hij
naar hen staren, zijn geest niet bereid om te aanvaarden wat
zijn ogen zagen. De hand op zijn schouder voelde hij nauwelijks. Het leek of het niet zijn eigen voeten waren die
bewogen toen hij zich als verdoofd liet meevoeren door
Jari.

Het strand zag eruit zoals altijd. In de verte dreef het
andere eiland, onbereikbaar. Thom liet zich op zijn knieën
vallen en zijn ogen vulden zich met tranen. Het was zijn
beurt om in te storten. Zijn ouders waren dood, Enea was
weg, net als bijna iedereen... gewoon weg! Jari stond naast
hem. Hij staarde naar het kleiner wordende eiland alsof hij

zijn ogen niet kon geloven. Hij herinnerde zich Abu's woorden: *Red het eiland... de stenen.* Hij twijfelde of ze de kracht zouden vinden. Alles leek voorbij.

In het dorp probeerden de achtergeblevenen zich te organiseren. Wie gewond was en hulp nodig had, werd eerst verzorgd. De doden moesten wachten. Grootouders probeerden huilende zuigelingen te troosten. Niemand had oog voor Jari en Thom. Hier en daar vroeg Jari of iemand zijn ouders had gezien. Het antwoord was telkens negatief; ook zij waren waarschijnlijk meegenomen. Machteloosheid dreigde iedereen te verlammen, probeerde hen voorgoed op de knieën te krijgen, wachtend op het moment dat het eiland door de hongerige zee verzwolgen zou worden. Maar Abu's woorden bleven in Jari's hoofd rondspoken en gaven hem de kracht om te weerstaan aan de verleiding zich te laten gaan.

'We moeten naar de krabbengrot, Thom.'

'Om wat te doen?' De blik in Thoms ogen was dof. Hij was moe en bereid op te geven.

'Abu zei dat er andere stenen zijn. Hij had het over de grot. Ken jij nog een andere grot, dan? We moeten het proberen.'

'Misschien ijlde hij gewoon. Er is daar helemaal niets, Jari. Het heeft geen zin.'

'Wil je opgeven dan? Heeft ons eiland niet genoeg inwoners verloren? Wil je al deze mensen laten verdrinken? De kleine kinderen?'

Jari pakte Thom bij zijn beide schouders en kneep er hard in.

'Ik heb jou nog nooit weten opgeven, Thom. Ik heb je nodig. Help me!'

Thom ademde zwaar in en uit door zijn neus. Zijn neusvleugels trilden terwijl hij zijn emoties onder controle probeerde te krijgen. Hij beet zo hard op zijn lip dat er een dun straaltje bloed langs zijn kin naar beneden sijpelde. Toen knikte hij: hij zou zijn vriend niet in de steek laten.

Ze wilden het dorp uitlopen toen een man Jari's naam riep. Als aan de grond genageld bleef Jari staan. Dat was de stem van Em, zijn vader. Ze omhelsden elkaar stevig. Thom probeerde blij te zijn voor zijn vriend, maar het beeld van zijn eigen dode ouders stond op zijn netvlies gebrand.

'Moeder?' vroeg Jari.

Zijn vraag was nauwelijks meer dan een fluistering, bang als hij was voor het antwoord.

'Ze is oké. Ze is thuis. Thom, ik vind het verschrikkelijk van je ouders, jongen.'

Thom keek Em met betraande ogen aan.

'Je vader probeerde een meisje te beschermen dat werd aangerand. Ik denk dat toen… dat toen alles is begonnen. Het spijt me, jongen.'

Thom bedankte hem met een grimas die een glimlach moest voorstellen.

'Je moet mee naar ons huis komen, Thom. Vic is bij ons. Hij vroeg naar je.'

'Vic?'

Thoms hart sprong op, ondanks het verdriet dat hem ver-
scheurde. Vic had een speciale plek in zijn hart.

'Hij is er slecht aan toe,' zei Em, terwijl ze naar zijn huis
liepen. 'Maar hij heeft al een paar keer naar jou gevraagd.'

Ana, Jari's moeder, vloog haar zoon in de armen. Tranen
van opluchting rolden over haar gezicht. Toen ze zich uit
hun omhelzing losmaakte, keerde ze zich naar Thom en
trok een schuldbewust gezicht, alsof ze zich schaamde voor
haar blijdschap. Met een zacht gebaar omhelsde ze hem.
Alsof ze hoopte dat ze hem op die manier nog een beetje de
liefde van zijn ouders kon laten voelen.

'Het spijt me zo, Thom,' fluisterde ze in zijn haar.

Thom liet haar warmte over zich heen komen, haar omhelzing gaf hem troost.

Vic lag op de slaapbank. Zijn voorhoofd was nat van het
zweet en het verband om zijn middel zag rood van het
bloed. Van de blos die zijn wangen zo vaak kleurde, was
niets te zien. De doffe ogen in zijn grauwe gezicht leken
diep weggezakt in hun kassen. Met eeltige vingers reikte hij
naar Thom. Die greep zijn hand en knielde naast hem.
Wanhoop overviel hem. Hij was er helemaal niet klaar voor
om nog iemand te verliezen, maar hij zag ook wel dat Vic
puur op wilskracht in leven bleef. De man zag er twintig
jaar ouder uit en het leek alsof hij geen bloed meer in zijn
lichaam had.

'Ik moet je iets vertellen, Thom,' zei Vic.

Het spreken kostte hem moeite en Thom moest zijn best doen om elk woord te verstaan. Jari en zijn ouders keken toe.

'Er bestaat een brief... Abu heeft hem.'

'Ik weet het, Vic. Ik heb hem gelezen.'

'Alles?'

De doffe ogen keken Thom vragend aan.

'De brief van Abu en de brief over dat kind, die jongen.'

Tevreden dat hij daardoor minder hoefde uit te leggen, sloot Vic even zijn ogen voor hij verderging.

'Ik denk... ik weet het wel zeker... die mannen kwamen van Zeneria. Ze hebben iedereen meegenomen. Ook de... kristallen. Je weet wat dat betekent.'

Thom knikte. Terwijl ze hier zaten, was het eiland ongetwijfeld al aan het zinken, langzaam maar zeker.

'Ik ben wachter van de grot geweest, Thom... vóór jou. Je hebt bijzondere kwaliteiten. Ik heb je niet zomaar naar de grot gebracht... Jij was voorbestemd om de nieuwe wachter te zijn... Ga diep in de grot... vergeet... je werpspies niet... er zijn andere kristallen... amethist... een... transportsysteem... gebruik het... red het eiland, Thom.'

Thom keek Vic aandachtig aan en probeerde in te schatten in hoeverre zijn vriend helder was. Ineens greep Vic onverwacht krachtig zijn pols vast.

'Jij kunt dit, Thom. Zeneria weet niets van de andere kristallen. Ze denken dat we verdwijnen... ik ontdekte ze per toeval. Abu was de enige die ervan wist... De schacht... je moet...'

'Wat moet ik doen, Vic?' vroeg Thom, overtuigd dat Vic de waarheid sprak.

Jari was dichterbij gekomen om alles goed te horen. Vic leek echt te geloven dat ze het eiland konden redden. Abu had dat ook geloofd.

Vic had zijn ogen weer gesloten. Hij ademde heel oppervlakkig. Het leek erop dat hij niets meer zou zeggen. Thom wilde zijn hand voorzichtig lostrekken, maar Vic verstevigde zijn greep. Hij deed zijn ogen weer open en keek Thom doordringend aan. Ondanks zijn zwakte drong zijn blik helemaal in Thom door.

'Thom… jij bent… de jongen,' zei Vic. Toen vielen zijn ogen opnieuw dicht.

Heel even leek elke functie van Thoms lichaam stil te vallen. Hij hapte naar adem en staarde Vic met grote ogen aan. Maar die opende zijn ogen niet meer. Ana deed ongerust een stap naar voren en voelde aan Vics hals.

'Hij slaapt,' zei ze. 'Ik zal het verband nog eens verschonen.'

Het drong nauwelijks tot Thom door dat Jari hem overeind hielp. Jari staarde hem aan, zijn mond geopend, maar de woorden stierven voor ze de kans kregen zijn lippen te passeren. Ook hij had Vics laatste woorden gehoord. Het was niet onmogelijk. Het tijdstip kwam overeen met Thoms leeftijd. In principe kon het kloppen. Alleen, behalve Vic leefde niemand meer die dit kon bevestigen. Maar wat zou Vic anders bedoeld hebben? Het was toch duidelijk geweest?

'We moeten gaan,' zei Thom. Hij draaide zich om naar Em. 'Mijn ouders…'

Hij schrok van dit woord. Hij had het altijd zo moeilijk gehad om echt contact met hen te hebben. Was dat de reden? Waren zij zijn ouders niet?

Em knikte geruststellend. 'Ik zorg er persoonlijk voor dat ze begraven worden, Thom.'

'Bedankt.'

Zonder afscheid te nemen ging Thom naar buiten. Jari omhelsde zijn ouders. Geen van hen had woorden nodig om te zeggen wat hij voelde. Het lot van het eiland lag in handen van de twee jongens.

Het leek een eeuwigheid te duren voor ze weer bij het krabbenvangersstrand waren. De hele tocht zeiden de jongens geen woord. Ze gebruikten al hun energie om zo snel mogelijk vooruit te komen. Elk op hun eigen manier probeerden ze te verwerken wat Vic net had verteld. Vooral voor Thom was die ene zin onwezenlijk. *Jij bent die jongen, Thom…* Was heel zijn leven tot hiertoe dan één grote leugen geweest? Wist hij zelf nog wel wie hij was?

Thom hield zich voor dat hij eerst het eiland moest zien te redden. De vraag wie hij echt was, probeerde hij naar de achtergrond te verdrijven.

Het gedroogde vlees dat Ana op het laatste ogenblik nog had meegegeven, aten ze op tijdens het lopen. Ze spoelden het door met water uit de waterbuidels die ze bij zich hadden.

Deze keer pakten ze Thoms eigen kano. Die ging sneller en was beter bestuurbaar. Jari's armspieren protesteerden hevig toen hij de peddel in het water stak.

27.

Jari was blij dat hij weer vaste grond onder zijn voeten voelde. In het woelige water voor het rif had hij even voor zijn leven gevreesd.

'En jij doet dit elke dag?' vroeg hij vol ontzag.

Thom haalde zijn schouders op. Voor hem was de dans met de zee als het dagelijkse weerzien met een goede, machtige vriend. Hij beschouwde het al lang niet meer als een strijd. Zonder tijd te verliezen, pakte hij zijn werpspiesen en ging Jari voor, de grot in. Een hele tijd geleden al had hij zich voorgenomen de grotten eens echt te verkennen. Vic had hem ooit verteld dat het er altijd licht was. Hoe dat mogelijk was, had hij niet gezegd. Hopelijk had Vic gelijk, want in al hun opwinding waren de jongens vergeten fakkels of lampen mee te nemen. Hier en daar schoot een krab voor hun voeten weg, maar de dieren hadden niets te vrezen. Vandaag was Thom niet gekomen om te jagen.

Naarmate ze de zee verder achter zich lieten, werd het donkerder in de grot. Thom vroeg zich af of Vic het maar gedroomd had, van dat licht. Bij een grote plas zeewater waren ze bij het einde van de grot gekomen. Verbaasd bleef Thom staan.

'Wat is er?' vroeg Jari.

'Zie je dat niet? De grot loopt dood.'

'Dat kan toch niet? Vic beweerde...'

'Ik weet wat Vic heeft beweerd. Ik zeg alleen dat deze grot doodloopt.'

'Dat kan niet.'

'En toch is het zo. Je ziet het toch zelf?'

Besluiteloos keek Thom om zich heen. Jari bleef naar Thom staren. Hij was ervan overtuigd dat zijn vriend wel een oplossing zou vinden.

'Ik zie maar één mogelijkheid,' zei Thom uiteindelijk.

Zonder verder iets te zeggen, liet hij zich in de poel zakken. Hij haalde diep adem en verdween toen onder water. Jari bleef nerveus staan kijken. Automatisch hield hij mee de adem in. De tijd verstreek langzaam. Samen met de spanning in zijn longen steeg Jari's bezorgdheid. Hij moest het opgeven en haalde met een diepe teug adem. Zijn hart bonsde en dat was niet alleen door de inspanning. Het wateroppervlak was stil; Thom gaf nog steeds geen teken van leven. Net toen Jari overwoog zelf in het water te springen, zag hij een rimpeling in het wateroppervlak. Zijn opluchting verdween al snel toen hij een grote krab uit het water zag kruipen. Met een kreet van afschuw sprong hij een halve meter achteruit. De krab was zo'n dertig centimeter breed. Gegrild had hij ze graag, maar levend vond Jari het maar enge beesten. Het dier maakte zich snel uit de voeten, duidelijk niet opgezet met de nabijheid van een mens. Kon het zijn dat die krab Thom had aangevallen?

Het antwoord kwam al heel snel. Het oppervlak bewoog weer en proestend kwam Thom boven water. Hij hees zich snel op het droge. Het water droop van hem af en op zijn gezicht had hij een brede grijns.

'Ik dacht dat je dood was,' zei Jari.

'Ik heb een doorgang gevonden,' legde Thom uit. 'Het water gaat onder een rots door en dan kom je uit in een poel zoals deze hier. Het is er gigantisch!'

'Moet ik daar mee onderdoor?' vroeg Jari, niet erg happig om in het water te springen. 'Heb je die krab gezien?'

'Ze zijn banger van jou dan jij van hen, maak je maar geen zorgen.'

'Daar zou ik niet zo zeker van zijn. Ik griezel van die beesten.'

'Het is de enige manier, Jari. We hebben geen tijd om bang te zijn.'

Jari wist dat zijn vriend gelijk had.

'Is het ver?'

'Honderd tellen je adem inhouden en je bent alweer boven. Makkelijk,' zei Thom.

Honderd tellen, dat zou wel lukken. Hoewel Jari natuurlijk niet wist hoe snel Thom geteld had. Maar ze hadden inderdaad geen keuze. Thom pakte de werpspiesen en Jari zijn stok, en toen volgde Jari zijn vriend het water in. Thom bleek gelukkig geen trage teller en Jari stak het hoofd boven water nog voor hij echt in ademnood raakte.

De grot baadde in een vreemd licht. Het gewelf was

gemakkelijk vier meter hoog. Hier en daar lagen poelen.

'Hoe komt dat water hier?'

'Ik vermoed dat de poelen in verbinding staan met de zee,' antwoordde Thom. 'Het water is zout en volgens mij komt het zeewater nooit tot hier. Heb je niet gezien dat de grot oploopt?'

'Een onderaardse ader met zeewater? Vreemd.'

'Maar waar dat licht vandaan komt, begrijp ik echt niet. Je zou denken dat het hier stikdonker was.'

'Gelukkig is dat niet zo, anders hadden we echt wel een probleem,' mompelde Jari.

Thom snoof. Waarschijnlijk was al dan niet licht hebben nog de minste van hun zorgen.

Ze liepen verder de grot in. Het licht nam niet af, integendeel. Hoe ze ook rondkeken, een zichtbare bron voor het licht vonden ze niet. Het leek wel of het van de wanden afstraalde. Een brede poel versperde hen de weg.

'Daar kunnen we wel overheen springen,' vond Thom.

Jari knikte. Hij liep wat achteruit om een aanloop te nemen, toen hij de eerste schaar zag. Onmiddellijk volgde de tweede schaar en toen de ogen.

'W-wat is dat?' stotterde hij.

Een krab van wel een meter breed klom uit het water. Het gitzwarte, natte lijf was gigantisch. Zelfs Thom deed een paar passen naar achteren.

'Zo groot heb ik ze nog nooit gezien,' fluisterde hij.

De krab bleef voor de poel staan, alsof ze hun de weg wilde versperren. De ogen die boven op het lijf stonden, keken Thom strak aan. Het leek wel of de krab wist dat hij de jager was en dus het meest te duchten van de twee. Het dier maakte een akelig klakkend geluid met zijn twee scharen. Die waren groter dan een hand en zagen eruit alsof ze een arm zonder meer door konden knippen. Jari ademde zwaar in en uit van schrik en deed nog een paar passen terug.

Thom bleef staan. Zijn greep om de schacht van zijn werpspies verstrakte. Adrenaline stroomde door zijn aderen en bracht heel zijn lichaam in staat van alertheid. Elke spier spande zich en zijn blik focuste op het monster. Hij en de krab waren op dit moment de enige twee wezens op de hele wereld; het ging tussen hen beiden. De gigantische krab kwam hem rekenschap vragen voor alle soortgenoten die Thom aan zijn werpspies had geregen. Instinctief wist Thom dat deze krab zich niet in het water zou terugtrekken. Dit duel zou hier en nu uitgevochten worden. Het ging om zijn recht om ooit nog te mogen jagen.

Langzaam hief Thom zijn wapen, de ogen van de krab volgden de beweging. Zijn worp zou heel precies en krachtig moeten zijn. Het rugpantser was ongetwijfeld te dik om te kunnen doorboren, daar kon hij niet op mikken. Het doelwit was klein, net onder de ogen en de antennes, waar het weke gedeelte van de mond zich bevond. Thoms hart bonsde in zijn keel terwijl hij zijn arm naar achteren bracht. Hij mocht niet missen.

Als een katapult die een steen afschiet, loste hij zijn werp-spies. Tegelijkertijd kwam het enorme dier in beweging. Daardoor schampte de werpspies af op het dikke schild. Met een indrukwekkende snelheid kwam het dier op Thom af en hij kon nog net opzij springen om aan de knippende schaar te ontsnappen. Terwijl hij sprong, gooide hij een tweede werpspies over van zijn linker- naar zijn rechterhand. Hij maakte een koprol en kwam soepel weer op zijn benen terecht. De krab staarde hem al opnieuw aan, maar deze keer aarzelde Thom niet. Hij stak al zijn kracht in de worp en de punt van de werpspies drong via de mond diep in het lichaam van het monster. Er ging een stuiptrek-king door het dier heen. Toen bleef het stilliggen.

Hijgend bleef Thom de krab aankijken. Toen hij zeker was dat al het leven eruit verdwenen was, ging hij ernaartoe en trok de speer eruit. Wat verderop staarde Jari hem lijkbleek aan.

'Het is oké, hij is dood,' zei Thom. Hij raapte de derde werpspies op van de grond en liep naar de poel. Hij pookte wat in het water, maar er kwam geen reactie. Blijkbaar zat er geen monsterlijk broertje of zusje in het water. Thom nam een kleine aanloop en sprong over de hindernis.

'Kom maar. Het is veilig.'

Jari keek Thom aan, niet zeker of hij zijn vriend mocht geloven. Op een paar meter bij hem vandaan lag het enorme dier. Hij durfde er haast niet langs te gaan. In de wetenschap dat op zijn plek blijven ook geen optie was, raapte hij al zijn moed bij elkaar, ademde diep in en spurtte naar de poel. Met bijna een meter overschot landde hij aan de andere kant. Hij keek nog eens om, alsof hij verwachtte dat de krab weer zou verrijzen om hen achterna te zitten, maar het dier was echt dood.

28.

Ze liepen door een smallere tunnel waar geen einde aan leek te komen en kwamen uiteindelijk in een gigantische grot uit. Hun monden vielen open van verbazing. Centraal stond een enorme bol, waaruit acht pijpen naar gigantische, gebogen metalen vlakken liepen. Boven aan de bol liep een doorzichtige zuil recht naar boven en boorde zich in het plafond van massieve rots. Het licht leek uit die zuil te komen. Een dof, gestaag pulserend geluid vulde de grote ruimte. De jongens wisten niet wat ze zagen: dit leek op niets wat ze ooit in hun leven waren tegengekomen. Ze gingen omzichtig over de rotspaden die als bruggen tussen de koepelvormige, metalen vlakken liepen.

'Wat is dit?' fluisterde Thom vol ontzag.

'Ik heb geen idee. Dit moet de plaats zijn waar Vic het over had. Hij moet hier samen met Abu geweest zijn.'

'Die had het inderdaad ook over andere kristallen.'

'Zie jij die dan?'

Thom schudde zijn hoofd.

'De weg naar het beschermersdorp,' zei hij. 'Die loopt toch omhoog?'

Jari knikte.

'Zou het kunnen dat we er nu onder zitten?'

'En dat die pijp naar boven…?'

'Precies, in de tempel uitkomt.'

'Denk je dat dit een systeem is om het eiland drijvende te houden?' vroeg Jari, terwijl hij om zich heen keek.

Thom haalde zijn schouders op. 'Is het gek om dat te denken?'

Jari gaf geen antwoord. Hij had moeite om dit alles te bevatten. Wie had dit allemaal gemaakt? En waarom wist niemand op het eiland hiervan? Hij had altijd geloofd dat de Moedersteen een heilige, magische kracht bevatte. Maar met magie leek dit alles weinig te maken te hebben. Hier waren duidelijk mensenhanden in het spel geweest.

En toen zag hij ze. Aanvankelijk had de grote bol ze aan het oog onttrokken, maar nu stonden ze daar duidelijk in het zicht, te schitteren in het vreemde licht. Twaalf grote amethistkristallen op een rij, ongeveer van dezelfde grootte als de gestolen kristallen. Hij stootte Thom aan, te verbouwereerd om iets te zeggen.

Thom zag het ook: twaalf paarse stenen die schitterden alsof ze door de Moedersteen zelf waren opgeladen. Hoe waren die hier gekomen? Maar vooral, hoe konden ze die stenen ooit in de tempel krijgen?

Jari dacht precies hetzelfde. Hij keek naar boven, alsof hij verwachtte dat de oplossing voor dat probleem ergens op het plafond stond geschreven.

'Er moet een manier zijn. Vic had het over een transport-systeem.'

'Ik wou dat hij hier was,' zei Thom. 'Hij zou wel raad weten.'

Ze keken allebei om zich heen, vruchteloos zoekend naar iets wat hen op het juiste spoor zou zetten. Die stenen stonden hier niet zomaar. Ze waren netjes op een rij neergezet en dat was ongetwijfeld met een doel gebeurd.

'We moeten zoeken,' zei Thom. 'Het antwoord moet hier ergens zijn.'

Aangetrokken door de energie van de stenen liep Jari naar de eerste amethist. Hij voelde een onweerstaanbare drang om hem aan te raken. Aarzelend bracht hij zijn hand naar voren.

'Wat doe je?' vroeg Thom.

Jari antwoordde niet. Zijn hand raakte de steen aan en een sterke energie drong bij hem naar binnen. Het duizelde in zijn hoofd en hij wankelde even op zijn benen.

'Jari, gaat het?'

Thom wilde zijn vriend ondersteunen, maar Jari stak zijn linkerhand op om hem tegen te houden. Abu's laatste woord, het was maar half over zijn lippen gekomen... *voorhoofdchakra*. Jari voelde het middelpunt van zijn voorhoofd warm worden en sloot zijn ogen. Een wervelende spiraal trof hem en even dacht hij dat hij het bewustzijn zou verliezen. Hij kon zich nauwelijks staande houden.

'Jari, wat is er aan de hand? Je maakt me bang.'

Maar Jari hield zijn linkerhand nog altijd omhoog. Hij wilde met rust gelaten worden.

29.

Enea hees de volle emmer op uit de waterput. Ze plensde wat water in haar gezicht en ging met haar natte vingers door haar haren. Hier buiten was de enige plek waar ze zich kon wassen. Water mocht niet mee naar binnen genomen worden. Het water liep langs haar hals in haar vuile hemd. Ze zou er alles voor geven om zich ongestoord uit te kunnen kleden en zich helemaal te wassen, maar wat verderop hielden bewakers iedereen in het oog, vooral de vrouwen die zich wasten. Ze dacht er niet aan zich voor hun ogen uit te kleden. Ze schepte nog wat water en wreef het onder haar oksel. Daarna herhaalde ze die beweging met haar andere hand. Ze spoelde haar handen af en wreef ze droog aan haar rok. Tersluiks keek ze op naar de bewakers. Toen liep ze terug naar het stenen gebouw waar de vrouwen onderdak hadden.

Binnen was het krap. Ze waren duidelijk met te veel voor het aantal beschikbare plaatsen. Dunne matrassen lagen in lange rijen naast elkaar. Enea deelde een matras met een ander meisje. Als ze allebei op hun zij lagen, lukte het net. Enea voelde zich vreselijk. Ondanks de vluchtige wasbeurt voelde ze zich vuil en ze was doodmoe. De wanhoop van iedereen trok aan haar energie. Een paar matrassen verder zat een jonge vrouw te huilen. Ze had haar baby van vier maanden moeten achterlaten en haar man was voor haar ogen doodgestoken. Een andere vrouw zat naast haar en deed vruchteloze pogingen om haar te troosten.

De lucht binnen was bedompt en Enea vroeg zich af wat ze hier kwam doen. Hier voelde ze zich nog slechter. Moedeloos sjokte ze weer naar buiten. Wat ging er met hen gebeuren? Waarom hadden de bezoekers hen meegenomen? Wat waren ze van plan? Wat was er met Thom gebeurd? En met Jari? Zaten ze in het andere gebouw, bij de mannen? Waren ze op tijd weggekomen? Of waren ze gedood, zoals zovelen? Ondanks de warmte liep er een koude rilling over haar rug. Ze duwde die laatste gedachte weg, weigerde het idee als mogelijkheid te aanvaarden. Thom was een krabbenvanger, een overlever. Hij had vast wel een manier gevonden om aan deze hel te ontsnappen. Ze liep naar de achterkant van het gebouw, op zoek naar wat schaduw. Toen ze de hoek omdraaide, verstijfde ze.

Zijn brede grijns toonde een afgebroken tand. Dat was haar eerder nog niet opgevallen. Enea wilde zich snel omdraaien, maar Torund had haar pols al beet.

'Niet zo vlug, schoonheid. Wij hebben samen nog iets af te werken, weet je nog?' lachte hij vals.

Enea opende haar mond om te gillen, maar Torund trok vliegensvlug zijn mes en zette het tegen haar keel. Haar adem stokte. Ze deinsde achteruit en voelde de muur tegen haar rug. Ze kon niet weg.

'Wat... wat wil je van me?' vroeg ze bevend.

'Meen je dat echt?' vroeg Torund geamuseerd. 'Heb je er echt geen idee van wat ik met je wil doen?'

Hij bewoog de punt van het lange mes heen en weer over haar keel.

'Ik wil dat mooie lichaam van je verkennen. Je moet weten dat het al heel lang geleden is dat ik nog een vrouw heb gehad. En jij lijkt me echt een heel lekker exemplaar. Ik had je al meteen in de gaten tijdens dat feest. Jammer dat die idioot toen tussenbeide kwam. Maar uitstel is geen afstel, schoonheid. Werk een beetje mee, dan is het voor jou vast net zo fijn.'

Hij liet haar pols los en legde zijn linkerhand op haar borst. Met de andere hand hield hij het mes tegen haar keel. Enea drukte zich helemaal tegen de muur; als ze kon, zou ze erin verdwijnen. Ze huiverde van de tastende hand op haar borst. Haar ogen bewogen wanhopig van links naar rechts, maar nergens zag ze iemand die haar kon helpen. Schreeuwen durfde ze niet uit angst voor het scherpe mes. Torund begon hoorbaar zwaarder te ademen. Opgewonden bracht hij zijn hand naar beneden en begon haar rok op te trekken. De paniek sloeg nu helemaal toe bij Enea. Hij wilde haar verkrachten. Dan ging ze nog liever dood. In een wanhopige reflex bracht ze haar knie omhoog en raakte Torund keihard in zijn kruis. Met een schreeuw van pijn kromp haar aanrander in elkaar en het volgende moment lag hij kermend op de grond. Enea aarzelde niet en rende weg naar het open terrein voor de barak. Ze hoopte dat ze veilig zou zijn als ze tussen de anderen bleef. Angstvallig keek ze naar de hoek waarachter ze Torund wist, bang dat haar laatste uur nu echt geslagen had. Haar hart ging tekeer en haar borst bewoog hijgend op en neer. Een andere vrouw, die haar paniek zag, vroeg wat er aan de hand was.

'Iemand probeerde me te verkrachten,' bracht ze uit met een klein stemmetje.

De vrouw sloeg haar hand voor haar mond en keek Enea bang aan. Zij wist ook wel dat ze waren overgeleverd aan de grillen van hun bewakers. Ze konden geen kant uit.

Toen Torund om de hoek verscheen, begon Enea te trillen. De vrouw pakte haar hand vast in een zwakke poging haar moed te geven. Torund liep wat gebogen en zijn tred was verre van soepel. De pijnlijke grimas op zijn gezicht veranderde in een blik van pure haat toen hij haar opmerkte. Hij kwam niet naar haar toe, maar zijn blik zei genoeg: hij zou zijn zin krijgen. En daarna doodt hij me ongetwijfeld, dacht Enea, bevend van angst.

30.

*H*et land daverde. De pas voltooide tempel trilde op zijn grondvesten en de houten huizen kraakten. Mensen liepen in paniek hun woning uit en anderen haastten zich dan weer naar binnen. Iedereen probeerde zich in veiligheid te brengen, ook al wisten ze niet waarvoor.

'Het is zover,' zei Breanaugh. 'De afscheuring voltrekt zich.'

Samen met de jongere Zorun liep hij naar de rand van het dorp. Ze keken uit over de kilometers brede grasvlakte. Helemaal in de verte, aan de horizon, waren de contouren van de stad te zien. Breanaugh wist dat dit de laatste keer was dat ze Zeneria zagen. Ze waren getuige van de geboorte van hun eiland. Het gedruis was oorverdovend en de breuk manifesteerde zich als een dunne, zwarte streep in het groene graslandschap. Al snel veranderde de streep in een brede kloof die heel goed te zien was vanaf het iets hoger gelegen punt waar zij stonden. Water kolkte naar boven en overspoelde een groot stuk van het grasland aan beide kanten. Veel dorpelingen vervoegden Breanaugh en Zorun op hun uitkijkpost. Het beven van de aarde nam af en verdween toen helemaal. De scheur was volledig. Zeneria had hen losgelaten. Voortaan zouden ze er alleen voorstaan.

Jari ademde zwaar terwijl de beelden door zijn hoofd schoten. Hij zag zijn eigen eiland, dat wist hij. De energie van de amethist bleef op zijn voorhoofd branden. Hij kon de activiteit in zijn voorhoofdchakra letterlijk voelen, als een vaag vibreren. De rest van zijn lichaam leek nauwelijks te bestaan.

De barsten in het land waren er al lang geweest. In alle stukken die dreigden af te scheuren waren tempels gebouwd. Jarenlang waren honderden arbeiders op verscheidene locaties aan het werk geweest om de bouwwerken te voltrekken waarin de bakens geïnstalleerd moesten worden. Bij nacht zouden ze elkaar kunnen zien, en ooit zou de dag komen dat Zeneria herenigd werd. Breanaugh wist dat hij die dag niet meer zou meemaken. Ook Zorun niet en zelfs zijn eventuele kinderen niet. Vanaf nu waren ze op zichzelf aangewezen.

Jari trok zijn hand terug en wankelde. Hij had de steun van Thom nodig om overeind te blijven.

'Wat gebeurt er, Jari?' vroeg Thom bezorgd. 'Wat is er?'

Jari bleef voor zich uit kijken; hij kon zelf nauwelijks vatten wat hem was overkomen.

'Ik heb het gezien,' stamelde hij. 'Het land. Zeneria.'

'Wat bedoel je? Is alles in orde met je?'

Nu keek Jari zijn vriend aan.

'Ik heb beelden gezien. Het was alsof alles zich voor mijn ogen afspeelde. Ik zag de tempel in het dorp, pas gebouwd.

Ik zag mensen, kon hun emoties voelen. Ze waren bang. Ik zag hoe dit eiland zich losscheurde van een veel groter stuk land: Zeneria.'

'Het land waarvan sprake in de brief?'

Jari knikte. Het land waar jij thuishoort, dacht hij er in stilte bij.

'Ik heb sterk het gevoel dat ik van die amethist kan leren wat we moeten doen om het eiland te redden,' zei Jari. 'Ik moet weer contact nemen.'

'Het put je uit, Jari. Is het wel goed voor je?'

'Maakt dat iets uit? Is het wel goed voor mij en voor jou dat het eiland centimeter na centimeter wegzakt in zee? Zal het goed zijn voor ons als we verdwijnen onder de golven? Heb je een beter idee hoe we het moeten aanpakken?'

Thom zweeg. Hij wist dat zijn vriend gelijk had.

'Laat me, Thom. Die steen bevat zoveel kennis. Misschien vind ik daar een antwoord.'

Hij drukte zijn handpalm opnieuw tegen het grote kristal en sloot zijn ogen.

Voor de tempel die de Moedersteen bevatte, werd dezelfde technologie gebruikt als in de centrale tempel van Zeneria. Een gigantisch melkwit gesteente, omringd door twaalf kleinere kristallen, moest ervoor zorgen dat het land niet wegzonk in de diepten van de oceaan. Het systeem was nog maar net afgewerkt en de tempel stond er nog niet helemaal toen het eiland afscheurde. Arbeiders die in een ander deel van Zeneria woon-

den, zouden hun families nooit meer terugzien. Breanaugh vertelde hun dat hij begrip had voor hun situatie en dat hij deelde in hun verdriet. Ook hij liet geliefden achter op het land dat ze wellicht nooit meer zouden weerzien.

'Maar het is aan ons om te tonen dat we de veerkracht hebben om een nieuwe samenleving te stichten. We zullen verder bouwen tot de tempel is voltooid. We zullen het licht van het baken onderhouden als teken van hoop dat we ooit weer verenigd zullen worden. Ik reken op ieder van jullie om van ons kleine eiland een wereld te maken waarin het goed is om te wonen!'

Breanaugh stond op de trappen van de tempel in het dorp. Zeneria was verdwenen achter de horizon. Na jaren zou het land weinig meer dan een herinnering zijn. Er zou een tijd komen dat zelfs die zou verdwijnen. Breanaughs natuurlijke autoriteit zorgde ervoor dat velen hem zagen als de leider van de nieuwe gemeenschap. Niemand verzette zich daartegen; iedereen snakte naar een houvast in deze nieuwe situatie.

Dikke zweetdruppels stonden op Jari's voorhoofd. Thom maakte zich zorgen om zijn vriend, maar durfde hem niet te storen. Hij had gelijk. Als ze geen oplossing vonden, was alles voorbij. Hun eigen leven kwam nu op de tweede plaats.

'Ik heb iets ontdekt, Breanaugh. Dit geloof je nooit.'

Zoruns stem trilde van opwinding. Breanaugh keek hem verstoord aan. Hij hield er niet van gestoord te worden tijdens zijn dagelijkse meditatie bij de Moedersteen. Het was een ritueel waar hij veel waarde aan hechtte. Ook al maakte de steen deel uit van een technologisch systeem, dag na dag beschouwde Breanaugh haar meer en meer als een entiteit die een ziel bevatte. De steen verdiende het met respect benaderd te worden.

Die ervaring wilde hij in een zinvolle vorm gieten; ze moesten een soort van broederschap oprichten die ten dienste stond van de Moedersteen. Die was immers de kern van het hele systeem dat ervoor zorgde dat ze niet door de golven verzwolgen werden. De grote amethisten waren even onontbeerlijk, daar was hij zich van bewust, maar de Moedersteen was de kern van alles.

'Je moet meekomen, Breanaugh. Dit moet je echt zien.'

Zorun was nog jong en af en toe een beetje naïef, maar aan zijn opwinding te oordelen, moest hij toch wel iets heel bijzonders hebben ontdekt. Breanaughs nieuwsgierigheid was gewekt. Ze liepen de trappen van de tempel af naar een gat in de grond. Daar was een trap uitgehouwen die toegang verschafte tot de grot onder de tempel.

Het doffe, pulserende geluid uit het grote luchtreservoir vulde de gigantische grot. De door de stenen opgewekte energie werd in de bolle, metalen koepels gestuwd en zorgde ervoor dat er een grote luchtlaag tussen de koepels en de zee ontstond, waardoor het eiland bleef drijven. Een eenvoudig principe, maar ingenieus toegepast, vond Breanaugh. Het nieuwe metaal glin-

sterde in het licht dat werd opgewekt in de zuil die het grote, bolle reservoir verbond met de Moedersteen in de tempel. Eeuwenlang al was de energetische kracht van kristallen bekend in Zeneria. Het gebruik ervan als energiebron was een zegen gebleken voor het land.

'Wat wilde je me nu laten zien?' vroeg Breanaugh.

'Kom mee,' zei Zorun. 'Ik kon zelf mijn ogen bijna niet geloven.'

Lichtjes geërgerd omdat Zorun niet wilde zeggen wat er was, volgde Breanaugh hem. Ze liepen de grot uit en gingen een tunnel in. De verlichting van de zuil was sterk genoeg om het ook hier niet helemaal donker te maken.

'Die gang is toch niet door ons uitgehouwen?' merkte Breanaugh op.

Zorun schudde het hoofd. 'Dat dacht ik niet.'

'Daar was ook geen reden voor,' mompelde Breanaugh. 'Is het nog ver?'

Zorun gaf geen antwoord, maar dat hoefde ook niet. Hij wees naar een vuistdikke, zeshoekige punt die uit de rotswand kwam. Zorun had er met zijn mouw over gewreven tot duidelijk zichtbaar was wat er onder de eeuwenoude lagen stof zat.

'Amethist,' hijgde Breanaugh. Hij keek de jonge Zorun met grote ogen aan. 'Er zit amethist in deze grot! Dat is ongelofelijk. En die punt is niet klein; wie weet wat we hier vinden.'

Hij raakte het gladde, glazige oppervlak aan met zijn vingertoppen. Niet te geloven. Hun eiland bevatte kostbare amethist.

'Dit hebben ze op Zeneria nooit geweten,' zei hij, naar adem happend. 'Alle bekende voorraden zijn gebruikt om de tempels *te voorzien van een drijfsysteem. Als er ooit iets misgaat, heeft Zeneria geen reserveamethist om het probleem op te lossen. En nu hebben wij dat wel! We moeten hier aan het werk. Zien of de kristallen groot genoeg zijn om als reserve te dienen. Dit is werk voor de arbeiders die de tempel hebben gebouwd.'*

Hij sloeg Zorun op de rug.

'Een fantastische ontdekking, Zorun. Echt geweldig,' zei hij.

Zorun knikte enthousiast. Hij beschouwde Breanaugh als zijn leermeester en glom van trots.

31.

Enea had slecht geslapen. Fyra, het meisje met wie ze de matras deelde, had het grootste deel van de nacht liggen woelen. Het leek wel alsof ze, door zo dicht tegen elkaar aan te liggen, hun angsten en onrust aan elkaar doorgaven. Enea liep naar buiten en putte water om zich te wassen. Ook nu weer stonden de bewakers haar en de andere vrouwen zonder schaamte aan te staren. Enea draaide hun de rug toe.

De sfeer was bedrukt. Sommige vrouwen praatten met elkaar, maar velen zaten gewoon ergens op de grond voor zich uit te staren. Op het eiland had iedereen zijn taken en bezigheden gehad. Verveling was een onbekend begrip. Maar hier had niemand iets omhanden. Het enige wat de vrouwen hier konden doen, was piekeren over hun onzekere toekomst. Voorbij de omheining, voorbij de wachters ook, bevond zich de andere omheining, die de mannen van het eiland bij elkaar hield. Een grote houten wand zorgde ervoor dat ze elkaar niet konden zien.

Iedereen keek op toen een grote groep soldaten, met Reikon aan het hoofd, door de poort marcheerde.

'Alle vrouwen aantreden!' riep Bodark, de jonge luitenant.

Zijn stem schalde over het troosteloze terrein. Soldaten schoten de barak binnen en dreven iedereen naar buiten. Het duurde even voor er orde kwam in de chaos en uiteindelijk stonden alle vrouwen opgesteld in vier rijen, met het gezicht naar Reikon en zijn wachters. Een soldaat liep naar Bodark toe, rechtte zijn rug in een groet en zei iets.

'Alle vrouwen zijn present, heer,' zei Bodark.

Reikon gromde iets. Hij kneep zijn ogen half dicht tegen de felle ochtendzon en keek naar de vrouwen voor hem. Ze boden een troosteloze aanblik. Hun ogen stonden dof, als van mensen die alle hoop op een goede toekomst hebben opgegeven.

'Jullie vragen je af wat jullie hier doen,' zei hij met luide stem. 'Jullie vragen je af wat we met jullie mannen zullen doen.'

Hier en daar klonk een onderdrukte snik.

'Wij hebben niet de intentie jullie of jullie mannen te doden. Anders dan jullie misschien denken, zijn wij geen barbaren. Wat gebeurd is op jullie eiland was een vergissing... een pijnlijke vergissing. Als commandant van deze eenheid zal ik ervoor zorgen dat dit niet meer gebeurt! Wij hebben jullie nodig! Mijn land, Zeneria, komt werkkrachten tekort. Daarom hebben we jullie weggehaald op jullie eiland. Wanneer we aankomen zal iedereen een taak toebedeeld krijgen; iedereen zal zich nuttig moeten maken. Binnenkort zullen de selecties plaatsvinden.'

De vrouwen keken hem bang aan. Moeders trokken hun dochters dichter tegen zich aan.

'Maar het samendrijven is wanordelijk verlopen,' ging Reikon verder. 'Er is onnodig bloed verspild, en daardoor zijn goede werkkrachten verloren gegaan. Werkkrachten zijn kostbaar en verspilling wordt niet getolereerd. Denk dus niet dat het doden van jullie broeders en zusters mijn wens was. Er werden fouten gemaakt en de aanzet daartoe was wellust. Iemand van mijn mensen verloor alle discipline uit het oog. Om jullie te tonen dat ik rechtvaardig ben, dat de wereld waar we jullie naartoe brengen een wereld van rechtvaardigheid is, zal ik de schuldige straffen terwijl jullie allemaal daar getuige van zijn.'

Hij maakte een gebaar met zijn hand en een soldaat werd door twee anderen tot bij hem geleid. Enea herkende de tronie die ze was gaan haten: Torund.

'Een van jullie,' Reikon wees in een breed gebaar naar alle vrouwen, 'heeft het hoofd van deze soldaat op hol gebracht. Jullie hebben drank gebruikt om onze geesten troebel te maken. Daarvan heeft een van jullie gebruik gemaakt om deze man uit te dagen. Toen hij wilde toegeven aan zijn lusten, is een man van jullie eiland tussenbeide gekomen om de hoer die dit had uitgelokt bij te staan. Daarop heeft deze soldaat die man neergestoken.'

Tranen prikten in Enea's ogen toen ze weer voor zich zag hoe Bor zijn leven had gegeven om haar uit de klauwen van die weerzinwekkende Torund te redden. Ze was doodsbang, maar dwong zichzelf om naar Torund te kijken. Die stond met het hoofd diep gebogen en trilde op zijn benen.

'Wie de hoer is, hoef ik niet te weten!' Reikon keek de rijen af, zijn blik stond dreigend. 'Maar een tweede voorval zal ik niet dulden!'

Het dreigement was duidelijk en de angst sidderde als een aal door de rijen vrouwen. Naast angst en onmacht voelde Enea woede in zich opkomen. De man had haar willen aanranden en zij werd bestempeld als hoer!

'Maar van mijn mannen eis ik absolute gehoorzaamheid en discipline. Gevoelens van lust zijn eigen aan mannen en ik kan en wil niemand veroordelen wegens het hebben van deze gevoelens. Maar een soldaat volgt zijn orders op en wanneer zijn dierlijke instincten dit in de weg staan, is hij het niet langer waard een soldaat van Zeneria te zijn.'

Hij richtte zich tot de nu nog heviger rillende Torund.

'Soldaat Torund, kijk mij aan!' brulde hij.

Torund deed wat hem bevolen werd. Zijn gezicht was asgrauw.

'Niet alleen heb je je broeders, je heer en je land tot schande gemaakt, door jouw ondoordachte daden hebben betere soldaten dan jij de dood gevonden. Ik ontsla je oneervol uit dienst.'

Reikon keek naar de vrouwen en toen naar de aanwezige soldaten om zich ervan te vergewissen dat hij de onverdeelde aandacht had. Toen trok hij zijn lange mes en hield de blik strak op Torund gericht.

'Zeneria kent jou niet meer en niemand zal zich jou herinneren!'

Met een snelle beweging stak hij het mes in Torunds buik, gaf het een halve draai naar rechts en trok het toen weer terug. De ogen van de soldaat werden groot en zijn gezicht vertrok in een grimas van pijn. Met zijn handen tegen de hevig bloedende wond gedrukt zakte hij op zijn knieën. Hij besefte dat zijn leven voorbij was.

'Zo zal het eenieder vergaan die het grote Zeneria in de weg staat,' zei Reikon.

Hij draaide zich om en liep weg, gevolgd door de soldaten. Twee van zijn mannen bekommerden zich om Torund. Hoewel die nog niet dood was, pakten ze hem elk bij een voet en sleepten hem zo weg. Sommige meisjes gilden, andere begonnen onbedaarlijk te huilen, twee vrouwen vielen flauw. Reikon had getoond dat er met hem niet te spotten viel.

Vol afgrijzen staarde Enea naar de dodelijk gewonde Torund. Terwijl hij door de poort werd gesleept, besefte ze dat ze van hem nooit meer iets te vrezen zou hebben, maar ze kon er niet blij om zijn. Ze was bang voor de gruwel die hun allemaal te wachten stond.

32.

Breanaugh keek tevreden naar de werkzaamheden; de arbeiders leverden prima werk. De rots rondom de kristallen werd systematisch weggehakt, waardoor de tunnel breder werd. De bomen voor het stutten van de tunnel kwamen uit de directe omgeving van de tempel van de Moedersteen. Voor het daardoor vrijgekomen gebied had Breanaugh al een bestemming in gedachten. Hij zou er een kleine nederzetting bouwen. Daar zouden mensen wonen die hij zou aanduiden. Ze zouden in functie leven van de tempel en de kristallen; ervoor zorgen dat het eiland altijd bleef drijven. Hij zou een gemeenschap oprichten die het eiland moest beschermen.

De kristallen diep onder de grond waren een waarachtig geschenk. Nu ze waren uitgehakt, bleken ze enorm te zijn. Ze waren minstens even groot als de twaalf amethisten die de energetische cirkel rondom de Moedersteen vormden. Zelfs als het ondenkbare zou gebeuren, als een van de amethisten op de een of andere manier stuk zou gaan of zijn energie zou verliezen, dan stelde deze onverhoopte vondst het eiland veilig. Ze waren echt gezegend.

Dwars over de hele lengte van de tunnel lagen dunne, gezaagde boomstammen. Die dienden als een rolsysteem waarover de grote amethisten met touwen naar de grote grot werden gesleept. Daar werden ze door telkens vier arbeiders opgetild en op hun plaats gezet, netjes op een rij.

Drie jaar nadat het eiland zich had losgescheurd van Zeneria waren de werken voltooid. De schacht waarin zich de trap naar de oppervlakte bevond was door de arbeiders verbreed. Dat was een titanenwerk geweest: een groot deel ging immers door massieve rotsmassa. Naast de trap hadden ze een geul gemaakt met om de twee meter een holte. Langs die geul zouden de amethisten met touwen omhoog gehesen kunnen worden. In de holtes kon de steen telkens blijven liggen om de mannen aan het touw de kans te geven op adem te komen. De afstand van zo'n vijftig meter in één keer overbruggen was immers een onmogelijke taak en ze konden niet het risico lopen dat de steen vanaf ergens halverwege terug naar beneden zou vallen. Breanaugh had beslist de schacht af te sluiten. De arbeiders moesten geheimhouding zweren en hij zou de plaats van de schacht en het bestaan van de kristallen onder de grond alleen doorgeven aan de nieuwe leider van de beschermersgemeenschap. Het zou slechts enkele generaties duren voor echt niemand anders meer op de hoogte was van het bestaan ervan, en dan zouden de stenen absoluut veilig zijn.

'Zorun, ik vertrouw jou de bewaring van het geheim toe. Schrijf er nooit iets over op. Het geheim moet altijd in het hoofd van de opperbeschermer blijven.'
Zorun keek naar de oude man op zijn ziekbed. Breanaugh

had de uitzonderlijke leeftijd van zevenentachtig jaar bereikt.
Zijn huid was droog als perkament.
'Ik stel jou aan als nieuwe opperbeschermer, Zorun. Kwijt je
met liefde van je taak, net zoals ik het heb gedaan. Het eiland
is gezond... bescherm het.'
De oude man zocht naar de hand van Zorun en kneep erin.
In al die jaren had hij Zorun beschouwd als een zoon. Het
was logisch dat die zijn opvolger zou worden. Terwijl zijn geest
zijn lichaam verliet, stuurde hij een laatste hoop de ether in:
de hoop dat Zeneria ooit weer één zou worden met haar
eilanden.

Jari liet de steen los en viel achterover. Hijgend bleef hij op
zijn rug liggen. Thom knielde naast hem neer.
'Jari, gaat het?' vroeg hij bezorgd.
Jari's voorhoofd gloeide, maar zijn handen voelden koud
aan. Hij knikte zwak, terwijl hij probeerde rust te krijgen
in de wervelende beelden die door zijn hoofd flitsten.
'Ik heb het gezien, Thom,' fluisterde hij. 'Ik weet hoe het
moet. Er is een trap.' Hij wilde overeind komen, maar een
duizeling overviel hem.
'Je moet even rusten,' zei Tom.

Met open mond staarden de twee jongens naar de trap die
verborgen lag in de schaduw, dicht bij de laatste amethist,
precies zoals Jari in het visioen had gezien. Ze gingen
behoedzaam de trap op; ongeveer halverwege werd het stikdonker. Ze klommen verder en werden uiteindelijk een
paar fijne lichtstrepen gewaar.

'Het is bamboe,' zei Thom, toen hij met zijn handen het obstakel betastte dat hun de weg versperde.

Hij gebruikte al zijn kracht om het ding omhoog te duwen, maar het gaf niet mee.

'Ik krijg er geen beweging in,' zuchtte hij. 'Help eens een handje.'

Met zijn tweeën duwden ze uit alle macht, maar ook nu gebeurde er niets. Jari dacht na. Ze waren zo dichtbij. Het was maar bamboe, geen rots of zo; er moest een mogelijkheid zijn. Hij probeerde zich de beelden terug voor de geest te halen. Hij had deze trap gezien. Hij had gevoeld hoe Breanaugh besliste de schacht af te sluiten, maar hoe had hij het gedaan? Jari concentreerde zich op zijn voorhoofdchakra. Kon hij ook verbinding maken zonder de amethist aan te raken? Hij zag geen beeld, niet direct… toen zag hij gespierde armen een raster van dikke bamboe over een donker gat schuiven.

'We moeten schuiven,' zei hij, 'niet duwen.'

Frisse buitenlucht kwam hun tegemoet toen ze het zware luik opzij duwden. Ze kropen naar buiten en moesten op hun knieën blijven zitten. Boven hen bevond zich een groot vlak, gemaakt uit bamboe. Toen ze daar onderuit kropen, zagen ze waar ze waren. De schacht bevond zich onder het podium naast het oefenveld, onzichtbaar voor iedereen. Hoe vaak had Jari hier niet gezeten? Nooit had hij geweten dat hij boven een doorgang naar een grottenstelsel zat.

'We zullen dat podium moeten afbreken,' zei Thom. 'Touw, we hebben touw nodig.'

'Er ligt een touw in een kleine ruimte in de tempel. Abu benadrukte altijd dat het touw een deel van de tempel was. Hij zei dat het even belangrijk was als de Moedersteen zelf en de tempel nooit mocht verlaten. Ik wed dat het lang genoeg is om de stenen naar boven te trekken.'

Jari liep al naar de tempel.

'Wacht.'

Met een vragende blik draaide Jari zich om.

'We krijgen die stenen nooit met zijn tweeën naar boven.'

Thom had natuurlijk gelijk, besefte Jari. Hij had ervaring genoeg met het gewicht van de stenen. Twee mannen konden dat niet tillen, laat staan dat hele eind naar boven slepen. Ze hadden hulp nodig.

'De overgebleven mannen in het dorp kunnen ons helpen,' zei Jari.

Thom knikte. 'Maar we moeten eerst rusten en iets eten. Niemand heeft er wat aan als we halverwege in elkaar zakken.'

33.

Ze waren boos op zichzelf. Nadat ze in Jari's hut iets hadden gegeten, hadden ze nog even gerust. Jari was al snel in slaap gevallen, terwijl Thom in zijn geest het blauwe veld met de kruisjes en de cirkels weer opriep. Hij was er hoe langer hoe meer van overtuigd dat wat ze in de tempel op het vreemde eiland hadden gezien een soort van zeekaart was. De mannen daar hadden het gehad over locaties die ze hadden vastgelegd. De details stonden nog steeds in zijn geheugen gegrift. Uiteindelijk had de slaap ook Thom overmeesterd en de eerste tekenen van de nieuwe dag waren al zichtbaar toen ze wakker werden. Ze hadden kostbare tijd verloren. Met een kleine mondvoorraad gingen ze op weg naar het dorp om hulp te halen. Ze liepen zo snel ze konden zonder buiten adem te raken.

'Heb je nog nagedacht over wat Vic zei?'

Thom wist onmiddellijk waarover zijn vriend het had. De woorden hadden door zijn hoofd gespookt tot hij in slaap viel en hij was er weer mee wakker geworden.

'Denk je dat het kan?'

'Theoretisch wel,' antwoordde Thom.

'Maar heb je ook het gevoel dat het écht zou kunnen?'

'Ik weet het niet. Ik ben vaak jaloers geweest op het contact dat jij met je ouders hebt. Je gaat zo… ongedwongen met hen om. Bij ons was het anders. Ik voelde me thuis nooit helemaal op mijn gemak. Mijn moeder hield zielsveel van me, dat weet ik, maar het lukte me niet om die liefde terug te geven. Ik had altijd het gevoel dat ik anders was.'

'Als wat Vic zei waar is, zou dat veel kunnen verklaren,' zei Jari.

Thom knikte en liep in gedachten verzonken verder. Pas een hele tijd later zei hij weer iets.

'Nu heb ik spijt dat ik niet hartelijker geweest ben. Ik kon nooit snel genoeg weer buiten zijn, nam nooit de tijd om echt met hen te praten.'

'Je moet geen spijt hebben om wat voorbij is, Thom.'

'Het waren goede mensen,' zei Thom zacht.

'Dat waren ze zeker.'

Het strand was al bijna helemaal weg. De golven kwamen aanrollen als een hongerig dier dat nauwelijks kon wachten om het hele eiland op te slokken.

'Het eiland zakt snel,' zei Em. 'Ik heb tien mannen verzameld die nog krachtig genoeg zijn om de klus te klaren.'

'Goed, dan vertrekken we meteen,' zei Thom.

Hij wierp een laatste blik op de gulzige golven en keerde zich om. Vic was nog altijd buiten westen. Ana deed wat ze kon en Thom wist dat Vic in goede handen was. In het dorp stonden de tien mannen al op hen te wachten. Ze hadden een ernstige, vastberaden trek om hun mond; iedereen wist dat hun lot afhing van het welslagen van hun missie.

Het begraven van Abu en de vermoorde beschermers gebeurde in een doodse stilte. Het enige geluid kwam van de spaden waarmee de mannen de gaten in de grond maakten. Tijd om op gepaste wijze afscheid te nemen was er niet. Ze legden de lichamen voorzichtig in de kuilen en gooiden er dan het zand weer bovenop. Het viel Jari zwaar om Abu op deze manier achter te laten, maar hij moest zich nu concentreren op de redding van het eiland.

In een mum van tijd braken ze het podium af. De mannen daalden de trap af en keken vol ontzag naar de ondergrondse installatie. Daarna gingen acht mannen, onder wie Jari, weer naar boven. Ze rolden het touw af tot beneden, waar Thom, Em en twee andere mannen het aan de eerste steen bevestigden.

'Zorg dat de steen goed vastzit,' zei Em. 'Hou dat touw strak!'

Ze tilden de steen op en droegen hem naar de geul naast de trap.

'We zijn klaar!' riep Em naar boven. 'Trekken maar!'

Boven zetten de mannen zich schrap. Hun handen klemden zich om het touw.

'Telkens twee meter en dan even wachten,' zei Jari. 'Op drie. Een, twee, DRIE!'

Spieren spanden zich, knokkels werden wit en de steen kwam in beweging.

'Het lukt!' riep Em van beneden. 'Voorzichtig! Nog een beetje! Ho!'

De steen lag in de eerste holte. Boven namen ze geen enkel risico. Ze hielden het touw strak. Ze namen enkele seconden de tijd om uit te blazen en trokken toen opnieuw. Het gewicht was enorm, maar het systeem werkte feilloos. Toen het kristal boven was, droegen ze de steen naar de tempel. Op Jari's aanwijzingen plaatsten ze hem naast de Moedersteen.

'Dat is er al één,' zuchtte Jari opgelucht.

Beneden werd het touw al vastgemaakt aan het tweede kristal.

Het werd donker en de mannen waren uitgeput. Ze hadden al tien stenen op hun plaats gezet. 'We houden ermee op, mannen,' zei Jari. 'De laatste twee stenen brengen we morgen naar boven.'

De mannen lieten een opgelucht gemompel horen. Ze snakten ernaar te kunnen rusten.

'Ik zou liever doorwerken,' zei Thom. 'We hebben toch toortsen? Laten we de klus meteen klaren.'

'Pas na drie dagen overstroomt het eiland. Als we het morgen doen is dat nog ruim op tijd. Iedereen is doodop. Ik wil niet dat er iets gebeurt. Als we een fout maken en een van de stenen dondert naar beneden en breekt, dan is het voorbij.'

'Jari heeft gelijk,' zei Em. 'De meeste mannen zitten aan het eind van hun krachten. Je mag niet vergeten dat we niet meer zo jong zijn als jullie.'

Thom keek wat verloren naar de ingang van de grot. Jari legde een hand op zijn schouder.

'Ik kan je ongeduld voelen, Thom. En geloof me, ik zal ook pas helemaal gerust zijn als alle stenen rond de Moedersteen staan.' Hij keek naar de tempel. 'Maar soms moeten we aanvaarden dat we niet alles naar onze hand kunnen zetten.'

'Dan wil ik er morgen toch zo vroeg mogelijk aan beginnen,' zei Thom.

'Zodra het licht wordt, werken we verder. Maak je geen zorgen, het eiland is gered.'

Iedereen sliep al, maar Jari kon de slaap niet vatten. Hij liep naar het naamloze graf van Abu en staarde naar het omgewoelde zand.

'Je had gezegd dat je nog lang niet weg zou gaan, Abu,' zei hij zacht. 'Waar ben je nu? Alle beschermers zijn weg, alleen ik ben er nog. Wat moet ik doen? Hoe moet ik dit eiland weer heel maken? Er is te veel gebeurd, te veel kapotgemaakt. Ik weet niet of ik dit allemaal kan herstellen, Abu.' Jari veegde een traan weg. 'Ik zou zo graag nog eens met jou willen praten. Ben je ooit zelf beneden geweest? Wat wist je? Wist je dat de bezoekers dit zouden doen? Waarom liet je het gebeuren?'

Het maanlicht scheen op het zwijgende graf en Jari liet zijn hoofd hangen. Hij wist dat Abu niet zou antwoorden... nooit meer.

34.

Thom was meteen klaarwakker. Zonder iemand te wekken liep hij naar buiten. Hij liep voorbij de graven naar het afgebroken podium. Een onbehaaglijk gevoel overviel hem. Er was iets mis. Hij keek om zich heen. Alles was rustig. En toch klopte er iets niet. Hij ging de schacht in en liep de trap af naar beneden. Het was kouder dan de dag ervoor. Een kilte overviel hem en er liep een rilling langs zijn ruggengraat. Ineens wist hij wat er mis was: het was donker! Zo snel hij kon, daalde hij de trap verder af. Hij hoorde het nog voor hij er met zijn voeten in stond: water! De zilte zeelucht was onmiskenbaar: het zeewater was binnengedrongen. Dat kon maar één ding betekenen: het eiland zonk sneller weg dan Jari had gedacht. Het pulserende geluid dat de grot eerder had gevuld was er niet meer en de zuil gaf geen licht. De energie van de Moedersteen was opgebruikt! Binnen afzienbare tijd zouden de amethisten onder water staan en dan konden ze er niet meer bij. In paniek snelde Thom de trap op.

Zodra hij buiten was, begon hij al te roepen.

'Jari! Em! Snel, de grot loopt onder!'

Gewapend met toortsen daalden Thom, Jari, Em en drie anderen de trap af. Het wassende water kwam al tot aan hun knieën.

'We moeten snel zijn,' zei Em.

Koortsachtig maakten ze het touw vast rond een van de kristallen. Met zijn vieren tilden ze de steen op en brachten hem naar de geul naast de trap.

'Trekken maar!' riep Em. 'Snel!'

Jari liep mee langs de steen. De anderen wachtten beneden. Boven werd het touw weer losgeknoopt. De steen kon later wel op zijn plaats gelegd worden.

Met het uiteinde van het touw in zijn hand haastte Jari zich weer naar beneden. Daar stond iedereen al tot aan zijn middel in het water. De laatste steen was nog maar voor de helft zichtbaar.

Thom pakte het touw over van Jari en dook zonder omhaal het water in. Op de tast bond hij het touw rond de steen en kwam proestend weer boven.

'Oké,' hijgde hij.

De mannen gingen door de knieën, zodat ze met hun hoofd onder water kwamen. Ze wrongen hun vingers onder de steen en probeerden houvast te krijgen. Met longen die op barsten stonden begonnen ze te tillen. Het gevaarte kwam in beweging. Toen de hoofden weer boven water waren gekomen, schuifelden de vier voorzichtig naar de trap. Jari en Roc, een man van bijna zestig, lichtten hen bij met toortsen. Ze waren bijna bij de trap toen een van de mannen misstapte. Hij slaakte een kreet en verloor zijn evenwicht. De drie anderen konden de steen niet meer houden en met een plons viel de amethist in het water, boven op de man die was gestruikeld.

'Kjall!' riep Em.

De man bleef onder.

'We moeten hem eruit halen! Jari!'

Jari smeet zijn toorts in het water en snelde te hulp. Met zijn vieren doken ze onder en ze slaagden erin vaste grip op de steen te krijgen. Roc ging door zijn knieën om Kjall te zoeken.

'Niet doen, Roc!' riep Em. 'Zonder licht zijn we verloren!'

Zo snel ze konden brachten ze de steen naar de geul. De amethist lag nauwelijks op zijn plaats of Thom waadde terug naar de plek waar Kjall onder water was verdwenen.

'Hijsen!' schreeuwde Em naar boven.

Het touw werd strak getrokken en de laatste steen kwam in beweging. Thom kwam weer boven en hapte naar adem. Het water kwam tot aan zijn borst.

'Ik kan hem niet vinden,' zei hij in paniek. 'Misschien is hij meegesleurd door de stroming.'

Hij dook weer onder en kwam even later onverrichter zake weer boven. Plotseling slaakte Roc een kreet van pijn. Hij trok zijn rechterhand uit het water en staarde in afschuw naar de krab die eraan hing. Thom reageerde onmiddellijk, pakte de toorts en hield hem tegen de krab. Het dier liet onmiddellijk los.

'Weg hier, Roc!' riep hij. Hij stopte hem de toorts terug in de hand en duwde hem in de richting van de trap.

'Krabben!' riep Roc. 'De krabben komen!'

'Kom uit het water, Thom!' riep Jari. 'Hij is verdronken. Laat hem!'

'Nog één keer!' riep Thom terug.

'Laat dat!' riep Jari, maar Thom was alweer onder water verdwenen.

Blind tastte hij in het rond in de hoop een arm of een been te pakken te krijgen. Tegen beter weten in zwom hij een paar slagen verder over de bodem van de grot. Hij weigerde te aanvaarden dat Kjall nu al dood zou zijn.

Een scherpe pijn boorde zich in zijn linkerarm en hij voelde de warme stroom van bloed dat uit de wond ontsnapte. Met zijn rechterhand tastte hij naar de krabbenschaar aan zijn riem en op de tast zette hij de schaar net achter de schaar die zich in zijn arm had vastgebeten. Hij kneep de schaar uit alle macht dicht en voelde de druk op zijn arm verminderen. Met een paar wilde slagen kwam hij weer boven. Hij moest hier weg. Het water was vergeven van de krabben. In paniek stelde hij vast dat het stikdonker was geworden. De toorts was verdwenen!

Jari schreeuwde zich de longen uit het lijf.

'Thom! Kom terug! Het water komt de trap op. Ik kan geen licht meer geven. Thom! Waar ben je?'

Tot zijn afgrijzen zag Jari dat het water de bovenkant van het trapgat bereikte. Thom zat als een rat in de val en hij kon helemaal niets doen. Zelf in het water springen was pure zelfmoord. Hij wist niet waar hij moest zoeken en de krabben waren overal.

'Jari! Kom helpen. We hebben je nodig om de stenen te plaatsen.' Em trok hem bij zijn arm mee. 'Je kunt niets voor hem doen.'

Vechtend tegen de wanhoop die hem dreigde te overmannen, volgde Jari zijn vader naar boven. Ze moesten de laatste steen op hun plaats zetten, anders was alles voor niets geweest. Hij had naar Thom moeten luisteren: die had niet willen wachten tot het weer licht was om de stenen naar boven te brengen. Door zijn eigenzinnigheid waren nog eens twee mensen gestorven en een van hen was zijn allerbeste vriend. Dit was meer dan hij kon dragen.

35.

Thom sloeg wild om zich heen in de hoop dat hij zo de krabben op afstand kon houden. Hij had geen idee welke kant hij uit moest en zwom zomaar ergens heen. Ineens voelde hij een hard, glad oppervlak onder zijn voeten. De koepels, hij stond waarschijnlijk op een van de koepels die ze hadden gezien. Van die koepels liepen buizen naar de grote, centrale bol. Hij kon op zo'n buis klimmen en zo naar boven schuiven, het water uit. Verwoed ging hij op zoek en enkele tellen later voelde hij de schuin oplopende, metalen buis. Hij ging er schrijlings op zitten en schoof omhoog, tot hij de wand van de bol voelde. Die was te glad om ertegenop te klimmen. Hijgend leunde hij met zijn hoofd tegen de rand van de bol. Alles was nog niet verloren. Als Jari de kristallen op tijd terugplaatste, zou het water vast wegtrekken. Hij moest blijven hopen.

Thom trok zijn hemd uit en maakte er zo goed en zo kwaad hij kon een verband van voor zijn arm. Hij kon niet zien hoe diep de wond was, maar hij kon er een vinger in leggen, dus dat zag er waarschijnlijk niet zo goed uit. Hopelijk stelpte het geïmproviseerde verband het bloed een beetje.

Zwaar hijgend zetten de mannen de laatste amethist op zijn plaats. Vol spanning keek Jari naar de Moedersteen. De anderen volgden zijn blik. De steen had al haar natuurlijke glans verloren en stond als een levenloos, plomp voorwerp tussen de amethisten. Er gebeurde niets. Jari begon te panikeren. Wat als het systeem alleen met de oorspronkelijke stenen werkte? Wat als alle moeite voor niets was geweest? Dan was Thom voor niets gestorven. Misschien stond het water nu al in het dorp.

Hij sloot zijn ogen en richtte zich tot de Moedersteen. Met alle passie die hij in zich had, bad hij, smeekte hij de steen terug tot leven te komen en het eiland te redden. Meer dan dat kon hij nu niet meer doen.

'Kijk, Jari,' fluisterde zijn vader vol bewondering.

Jari deed zijn ogen open. Een aarzelende gloed straalde van de Moedersteen af. De gloed werd sterker en breidde zich uit naar de amethisten. De trilling die door de tempel ging was duidelijk voelbaar. Jari sprong op, griste een brandende toorts mee en spurtte naar de schacht. Hij daalde de trap af tot aan de waterlijn. In het licht van de toorts zag hij dat de twee laatste treden boven het water helemaal nat waren. Zo hoog had het water gestaan, maar het zakte weer! Het trok in een hoog tempo weg, maar voor Jari kon het niet snel genoeg gaan. Hij hoopte op een mirakel. Nog vóór de laatste traptreden zichtbaar werden, stond hij al met beide voeten in het water.

'Thom! Thom!'

Plotseling gaf de zuil weer licht en het zachte, pulserende geluid vulde opnieuw de ruimte. Het water trok zienderogen weg. De koepels kwamen weer tevoorschijn en Thom liet zich voorzichtig naar beneden glijden. Hij zette net zijn voet op de koepel toen hij zijn naam hoorde roepen.

'Jari! Ik ben hier!' antwoordde hij.

Op gevaar af gebeten te worden door een krab, waadde Jari door het kniehoge water naar Thom toe. Hij hielp hem van de koepel af en omhelsde hem.

'Ik ben zo bang geweest. Ik dacht dat je dood was.'

'Ik ben er nog, Jari. Ik ben er nog.'

Jari keek naar het geïmproviseerde verband. Bloed sijpelde langs Thoms arm naar beneden.

Thom volgde zijn blik. 'Een krab,' verklaarde hij. 'Ik overleef het wel.'

36.

Met vaste hand stak Ana de naald voor de laatste keer door de huid van Thoms arm. Hij trok een grimas, maar gaf geen kik. Het water in het dorp was helemaal weggetrokken. Behalve de paar zoute plassen die ze koppig had achtergelaten, had de zee zich gewonnen moeten geven. Het eeuwenoude systeem werkte feilloos met de nieuwe amethisten. Van op de slaapbank keek Vic toe. Hij was weer bij bewustzijn. Hij was nog heel zwak, maar volgens Ana zou hij het wel halen.

'Je moet nu rusten, Thom,' zei Ana terwijl ze de draad dichtknoopte. 'Je hebt heel wat bloed verloren. Het was een diepe wond.'

Ze pakte een kruik met brandewijn en goot wat van de inhoud over de wond. Weer trok Thom een grimas.

'Zonde van die goede drank,' mompelde Em. Hij gaf Thom een knipoog. 'Ik ben heel trots op jullie. Zonder jullie waren we nu met zijn allen onherroepelijk onderweg naar de bodem van de oceaan. Abu zou ook trots geweest zijn, Jari.'

Jari glimlachte dankbaar, hoewel de herinnering aan zijn leermeester hem pijn deed.

'Hoe moeilijk het ook is, we zullen dit eiland weer opbouwen. Dat zijn we verplicht aan allen die het leven hebben gelaten en die ons zijn ontnomen,' zei Em.

'Een nobele houding,' zei Vic vanaf zijn ziekbed. 'Maar hoe dacht je dat te doen?'

Em keek hem fronsend aan, duidelijk niet blij met deze sceptische opmerking.

'We moeten positief blijven, Vic. Als we de hoop opgeven, kunnen we net zo goed meteen doodgaan.'

'Positief blijven, daar ga ik volledig mee akkoord,' zei Vic. 'Maar hoe ga je deze gemeenschap opnieuw opbouwen? De vrouwen die zijn achtergebleven zijn allemaal te oud om nog vruchtbaar te zijn.'

Em keek hem strak aan. Toen hij sprak, klonk hij vastberaden.

'Je vergeet iets, Vic. Er zijn nog kleine kinderen, baby's. Voor hen zullen wij oud worden, tot ze zelf oud genoeg zijn om dit eiland opnieuw te bevolken. We geven niet op, Vic.'

Vic sloot zijn ogen en liet zijn hoofd op zijn kussen vallen. Deze kleine gemeenschap zou nog heel lang moeten wachten op de eerste geboorte.

Thom bedankte Ana met een glimlach en keek naar Vic.

'Ik geef het ook niet op, Vic,' zei hij.

Hij liep naar buiten en kwam weer met een handvol zand, dat hij over de tafel uitstrooide. Met zijn vinger begon hij de kaart na te tekenen zoals hij ze in zijn hoofd had.

'Ik denk dat ik weet waar ik onze mensen kan vinden.'

Vic sloeg zijn ogen weer op. Em en Ana keken Thom strak aan. Jari keek naar de tekening en trok een vragend gezicht.

'Toen we op dat andere eiland waren, hebben we iets gezien wat volgens mij een soort zeekaart was. Ik heb er lang over nagedacht. Die cirkels hier... volgens mij stellen die eilanden voor.'

'Denk je?'

'Kijk, die twee cirkels die tegen elkaar plakken. Dat zou ons eiland kunnen zijn met het eiland van de bezoekers dat ertegenaan ligt. Die grote cirkel in het midden, zie je dat symbool dat erin staat? Het is hetzelfde als de tatoeage die de bezoekers op hun arm hadden. Misschien is dat het grote eiland waar ze vandaan komen.'

'Help me overeind,' zei Vic.

Geholpen door Jari strompelde hij tot aan de tafel. Zwijgend bestudeerde hij de geïmproviseerde kaart.

'Als wat het op het perkament van Abu staat juist is,' begon Em, 'dan ligt dit eiland, en waarschijnlijk ook de andere, niet stil. Hoe kan die kaart dan kloppen?'

'Je hebt gelijk,' zei Thom, 'maar als de posities onmiddellijk zouden wijzigen, zouden ze zich dan de moeite getroosten om een kaart te maken? Zolang ik leef, heb ik de zon altijd op hetzelfde punt zien opgaan en op hetzelfde punt zien ondergaan. Dat moet betekenen dat onze positie vrij stabiel is, of toch zeker dat het eiland niet om zijn as draait. Met andere woorden, als ik de richting aanhoud volgens onze positie op deze kaart, dan moet ik de andere eilanden vinden.'

'Wil jij helemaal alleen de zee op?' vroeg Ana.

'Hij zal niet alleen zijn, moeder,' zei Jari. Hij deed een stap naar voren en legde zijn hand op Thoms schouder. 'Als Thom het nodig vindt om te gaan, dan ga ik met hem mee.'

'Dit gaan we niet zomaar beslissen, jongens,' zei Em. 'We moeten dit eerst grondig bespreken.'

'Jullie gaan eerst rusten, allebei! Dat is wat ik zeg,' kwam Ana fel tussenbeide. De klank van haar stem maakte duidelijk dat ze op dit punt geen tegenspraak duldde.

37.

Wat overbleef van de gemeenschap had zich verzameld bij de nieuwe graven op de begraafplaats. Ook de lichamen van Abu en de beschermers waren opgegraven uit hun geïmproviseerde graf en overgebracht naar deze plek, waar alle eilanders al eeuwenlang hun laatste rustplaats vonden. Als enig overgebleven beschermer nam Jari het onmogelijke op zich: het uitspreken van woorden van troost. Iedereen stond met gebogen hoofd, tranen vloeiden of werden verbeten; bijna allemaal hadden ze een graf, of zelfs meerdere, dat een dierbare aan het oog onttrok. Het viel Jari moeilijk. Hoe kon hij troost bieden aan mensen die zoveel ouder waren dan hijzelf? Hoe kon hij troost bieden als hij zelf een stukje doodging om het verlies van Abu? Wat kon hij zeggen om Thom een klein beetje warmte te geven? Hij slikte, haalde diep adem en liet zich leiden door Abu's wijsheid die hij voortaan als leidraad zou gebruiken.

'Onze gemeenschap is diep getroffen. Hoe jong ik ook ben, als beschermer heb ik meegewerkt aan het in stand houden van de hoop dat er ooit een ander eiland zou komen. Wat voorspeld was is gebeurd, maar de gruwel die het met zich meebracht, had niemand ooit kunnen voorzien. We hebben ons gastvrij opgesteld, gingen ervan uit dat de bezoekers dezelfde vredelievende inborst hadden als wijzelf. Die vergissing hebben we duurder betaald dan een prijs ooit zou mogen zijn. Altijd zal de leegte ons herinneren aan de inschattingsfout die we gemaakt hebben. Toch meen ik te weten wat de reactie van Abu zou zijn, als hij nog onder ons was. Hij zou willen leren uit die fout, maar hij zou niet willen dat we onze mooiste eigenschap, de vredelievendheid en het vertrouwen in de mens, zouden verloochenen.

Ieder van ons gaat nu gebukt onder een groot lijden. Het offer dat we hebben gebracht is veel te groot en het lijkt of we er helemaal niets voor hebben teruggekregen. Maar dankzij jullie allen staan we nog overeind. We moeten blijven geloven in onze toekomst.

We hebben weet gekregen van het bestaan van nog een ander eiland. Samen met Thom wil ik ernaar op zoek gaan om de hulp van de inwoners in te roepen. Daarna gaan we op zoek naar onze mensen. De zee zal ons niet tegenhouden: we zullen hen vinden. Dat zijn we verschuldigd aan onze geliefden van wie we vandaag definitief afscheid nemen.'

Jari hief een lied aan. Het was hetzelfde lied dat Abu altijd zong bij het overgangsritueel. De hoop klonk door in de zachte klanken die over de graven zweefden.

'Je hebt het recht te weten wie je bent, Thom,' zei Vic.

Hij was aan de beterende hand en weer op de been, ook al liep hij met een stok.

'Abu vroeg me je afkomst geheim te houden, en dat heb ik ook gedaan. Daardoor kan niemand van die Zenerianen ooit te weten komen dat jij hier bent, of dat je zelfs maar bestaat. Je moeder was een mooie vrouw. Ze was uitgeput en getekend door de ontberingen van de wekenlange reis die ze achter de rug had, maar toch kon ik zien dat ze een natuurlijke schoonheid bezat.'

'Heeft ze iets gezegd?' vroeg Thom.

'Weinig. Ze was doodop en jouw geboorte vergde meer kracht dan ze nog in zich had. Ik heb je in haar armen gelegd. Ze wist ongetwijfeld dat ze ging sterven. Ze aaide je over je hoofd en fluisterde je dingen toe die ik niet kon verstaan. Maar op het laatst keek ze me aan en fluisterde: "Thom, ik wil dat je hem Thom noemt." Voor ze haar ogen sloot, gaf ze je een zachte kus op je hoofd.'

Thom keek voor zich uit en probeerde iets te voelen voor de vrouw die hij nooit had gekend. Het lukte hem niet. Zijn ouders waren net begraven. Zijn verdriet was nog te groot.

Enkele oude vissers namen een sloep onder handen. Het bootje was niet groot, maar had al jarenlang zijn diensten bewezen voor de visvangst op open zee. Het was perfect bestuurbaar door één persoon en er was voldoende ruimte voor twee en voor een aanzienlijke mond- en watervoorraad. Met veel toewijding deelden de mannen hun kennis van de visvangst met Jari en Thom, zodat ze onderweg verse vis zouden kunnen toevoegen aan de voorraad brood, gedroogd vlees en vruchten die ze zouden meenemen. Over hun slaagkansen werd niet gesproken. Nooit eerder was iemand van de eilanders uit het zicht van het eiland gevaren. Ze waren geen volk van zeevaarders en de oneindigheid van de zee verborg alleen maar geheimen voor hen. Iedereen besefte dat de kans heel groot was dat de twee jongens nooit zouden terugkeren. Toch was er niemand die hen probeerde af te brengen van hun plan. Zoals het er nu voor stond, waren Jari en Thom de twee enige overblijvers van een verloren generatie. Ze zaten gekneld tussen ouderen aan de ene kant en zuigelingen en peuters aan de andere kant. Op het eiland blijven bood hun geen perspectieven.

Allebei dachten ze voortdurend aan Enea. Haar naam kwam niet over hun lippen, maar dat hoefde ook niet. Enea hing tussen hen in als een schakel in een onbreekbare ketting. Het meisje was zeker niet de enige, maar wel een heel belangrijke reden voor de levensgevaarlijke tocht die ze wilden ondernemen.

38.

Dertien. Zoveel dagen waren ze al van het eiland weg. Evenveel dagen zat Enea opgesloten binnen de omheining en net als alle andere vrouwen had ze er geen idee van wat er stond te gebeuren. De overtuiging dat ze het eiland nooit meer zouden terugzien, werd alsmaar sterker. Ze dacht aan Thom, aan de hartstocht die ze had gevoeld toen ze hem kuste. De pijn die ze nu ervoer was minstens even overweldigend. Aan Thom denken zonder ook Jari voor ogen te zien, was onmogelijk. De twee vrienden hadden een heel speciale band, daar was ze al achter. Ze vroeg zich af of zij uiteindelijk voor problemen gezorgd zou hebben. Tenslotte was ze pal tussen hen in komen staan. Ze zuchtte. Daarover nadenken had geen enkele zin: ze zou geen van beiden ooit weerzien.

Ze zouden moeten werken, had Reikon, de leider, gezegd. Ze vroeg zich af wat voor werk het was, dat ze het onder dwang lieten uitvoeren. Enea wist wel zeker dat het leven dat ze had gekend definitief voorbij was. Haar onbezorgde bestaan behoorde voorgoed tot het verleden. Ze had al dertien dagen niet meer gelachen.

Er ontstond beroering in het gevangenenkamp toen de poort openzwaaide. Geflankeerd door twintig van zijn soldaten kwam Reikon het terrein opgelopen. De soldaten zwermden onmiddellijk uit en schreeuwden de vrouwen toe dat ze zich in vier rijen moesten opstellen. Wie niet snel genoeg reageerde, werd geslagen met lange bamboestokken. Enea haastte zich naar het midden van het terrein. Ze had zich voorgenomen zo weinig mogelijk op te vallen. Dat leek haar de beste tactiek om uit de problemen te blijven.

Toen de vrouwen allemaal stonden opgesteld, liep Reikon met een keurende blik langs de rijen. Hier en daar hief hij het hoofd van een bang omlaag kijkende gevangene op. Dan bekeek hij de vrouw aandachtig voor hij weer verderliep. Toen ging hij naar het midden van het plein om de vrouwen toe te spreken.

'Jullie zijn vuil!' begon hij.

Hij wachtte even om zijn woorden te laten doordringen. Ze moesten weten dat hij niet tevreden was, voelen dat ze niet voldeden aan de verwachtingen.

'Morgen worden jullie geïnspecteerd,' ging hij verder. 'Dat is een belangrijke dag. Van jullie voorkomen zal afhangen hoe jullie toekomst eruit zal zien. Ik verwacht belangrijk bezoek. De selectieploeg zal ieder van jullie beoordelen en bepalen in welke groep jullie terechtkomen. Geloof me vrij wanneer ik zeg dat het leven heel wat makkelijker zal zijn voor wie er netjes bijloopt. De put bevat voldoende water voor iedereen. Ik verwacht dat jullie daar gebruik van maken. Ik zou zeer ontgoocheld zijn als jullie niet aan mijn verwachtingen voldeden.'

De stilte die hij liet vallen, was dreigend. Ontgoocheld was absoluut niet het woord dat hij bedoelde, zoveel was duidelijk. De vrouwen konden zijn bevel maar beter opvolgen. Reikon draaide zich op zijn hielen om en liep naar de poort, zonder verder iemand nog een blik waardig te gunnen.

Pas toen de poort weer dicht was, kwamen de tongen los. Iedereen was onder de indruk van Reikons dreigende toon en nu kwamen de angst en het ongeloof naar boven. Hoe konden ze zich in hemelsnaam presentabel maken met alleen water uit een put? De kleding die ze droegen was vies en gevlekt, doordrongen van de geur van angstzweet. De haren van de meeste vrouwen hingen in klitten rond hun gezicht. Ze waren zich pijnlijk bewust van hun eigen onaantrekkelijkheid.

Enea voelde zich opstandig. Waarom zou ze zich opmaken? Wie zou ze daarmee een plezier doen? Alleen maar mensen die ze haatte. Die selectie kon haar gestolen worden. Wat haar betrof, kon die Reikon ontploffen.

Reikon stond op de kade en tuurde naar het land aan de horizon. Zeneria, eindelijk! Veel tijd om van zijn thuiskomst te genieten zou hij niet krijgen, want al heel snel moesten ze opnieuw vertrekken om dat andere eiland in te lijven. Het lot was hem gunstig gezind: twee eilanden ontdekken op één en dezelfde tocht was hem nog nooit eerder gelukt. De leiders van de Skyrth zouden tevreden zijn. En als zij tevreden waren, dan was dat goed voor hem. Zijn uitstekende staat van dienst moest wel een vorstelijke beloning in het vooruitzicht stellen. Glimlachend zag hij de kleine stippen naderen. Zeneria had hen natuurlijk al opgemerkt en de schepen stevenden al op het kunsteiland af. Hij had de vrouwen tijdig verwittigd en twijfelde er niet aan dat ze hun best zouden doen er fatsoenlijk uit te zien. Hij genoot van het gevoel van macht dat hem overspoelde: hier was hij de koning. Dit was zijn rijk.

39.

Enea wachtte geduldig tot ze aan de beurt was. Ze mengde zich niet tussen de kibbelende vrouwen die elkaar het recht op het gebruik van een van de waterteilen betwistten. Hun gedrag toonde aan hoe groot de invloed van Reikons toespraak was geweest. De wanhopige vrouwen wilden alles doen om in de gunst te komen, in de hoop dat ze daardoor een voorkeursbehandeling zouden krijgen. Zelf had Enea haar opstandige houding laten varen. Ze besefte dat ze voorlopig volledig van Reikon afhankelijk waren. Hem tegen de haren in strijken zou echt geen goed idee zijn. Ze was nog niet vergeten wat hij met Torund had gedaan. Niet dat ze enig medelijden had met die vreselijke man, maar het herinnerde haar eraan tot wat Reikon in staat was. Voor hem was een leven van geen tel, wat hij ook beweerde. Enea zou hem geen enkele gelegenheid geven aan haar te twijfelen, dat had ze zich heilig voorgenomen.

Enea wachtte tot ze de allerlaatste was die water nodig had. Zonder zich iets van de starende wachters aan te trekken, kleedde ze zich volledig uit. Ze waste haar lange haren zo goed ze kon en putte nieuw water om ze zorgvuldig na te

spoelen. Daarna nam ze haar lichaam onder handen. Ze
had er veel voor over gehad om nu in een beek of rivier te
kunnen baden, maar het teiltje was waar ze het mee moest
zien te redden. De bewakers staarden haar met open mond
aan. Hun ogen stonden vol lust, maar Enea vertrouwde
erop dat ze zich gedeisd zouden houden. Ook zij herinner-
den zich ongetwijfeld nog wat er met Torund was gebeurd.

Het waren niet alleen de bewakers die met ongeloof keken
naar de ongegeneerde manier waarop Enea zich waste. Veel
vrouwen sloegen haar gade met een blik die het midden
hield tussen verbazing en misprijzen. Maar Enea had tijd
genoeg gehad om hierover na te denken. Als Reikon een
afspiegeling was van de mensen die de macht bezaten in de
wereld waar ze naartoe gingen, dan wilde ze tot de groep
behoren die het naar zijn zeggen beter zou hebben. Het zou
wel eens kunnen dat de anderen naar de hel gingen, dacht
ze. Het was een vreselijke gedachte en ze schrok van zichzelf dat ze er alleen maar opuit leek zichzelf veilig te stellen,
maar wat moest ze anders doen? Ze kon niets voor een
ander doen, dat was de vreselijke realiteit. Vanuit die optiek
vond ze het niet verkeerd het beste voor zichzelf uit de
brand te slepen.

Nadat ze zich helemaal had gewassen, putte ze, naakt als ze
was, opnieuw water en dompelde haar kleren erin onder.
Ze schrobde de kledingstukken tegen elkaar en gooide het
slijkwater weg. Dat herhaalde ze nog drie keer voor ze alles
uitwrong. Ze trok de kleren weer aan en rilde toen ze de

natte stof tegen haar lichaam voelde plakken. Zonder zich iets aan te trekken van de blikken die haar volgden, liep ze het gebouw binnen. Daar kleedde ze zich opnieuw uit, hing haar kleren over de lage dakspanten, pakte de dunne deken van haar matras en sloeg die om zich heen. Ze negeerde het prikken van de ruwe wol.

Opgelucht trok Enea haar droge kleren weer aan. Het deed deugd weer het gevoel te hebben dat ze schoon was. Ze scheurde een klein reepje van de zoom van haar rok, vlocht haar lange haar en knoopte het reepje stof rond het uiteinde van de vlecht. Ze zuchtte. Wat die selectie ook inhield, zij was er klaar voor.

Zeneria was al iets groter geworden toen het eerste schip met de selectieploeg aan boord de haven van het kunsteiland binnengleed. De tweemaster was behoorlijk groot en voer met gereefde zeilen, voortgestuwd door veertig roeiriemen, statig naar de aanlegkade. De roeiriemen werden ingehaald toen het schip aanmeerde. Matrozen sprongen aan land om de meertouwen vast te maken. Reikon glimlachte breed. Met zijn nieuwe vangst zou hij indruk maken, daar twijfelde hij niet aan.

De loopplank werd uitgelegd en de selectieploeg zette voet aan wal. Eerst kwam de persoonlijke wacht: vier gespierde soldaten, gewapend met een zwaard, langer dan de messen die Reikons soldaten gebruikten. Onmiddellijk achter hen kwamen de eunuchen: vier gecastreerde mannen met fijne gelaatstrekken en opgemaakt als vrouwen.

Reikon slikte toen Yfe over de loopplank liep. De donker-harige vrouw droeg een lange jurk, diep uitgesneden en met hoge splitten, haar gezicht was zorgvuldig opgemaakt en haar huid glansde alsof ze van satijn was. Haar bijna zwarte ogen hadden een betoverende uitwerking op elke man die het waagde erin te kijken. Achter Yfe liepen nog twee jonge vrouwen, die, hoewel ze mooi waren, in het niets verzonken bij de schoonheid van Yfe.

Yfe kwam pal voor Reikon staan, haar gezicht op nauwe-lijks dertig centimeter van het zijne, zich sterk bewust van haar hypnotiserende schoonheid. Reikon vocht tegen de neiging zijn ogen neer te slaan.

'Is de lading voorbereid?' vroeg Yfe.

'Precies zoals u het graag hebt, vrouwe,' antwoordde Reikon. Het kostte hem moeite zijn vertrouwde, zelfverze-kerde toon in zijn stem te leggen. 'Ik heb ze opgedragen zich presentabel te maken.'

'Ik hoop dat het deze keer de moeite van mijn verplaatsing waard is,' zei ze, terwijl ze met haar ogen rolde.

Reikon slikte opnieuw; hij begreep wat ze bedoelde. De vangst op het vorige eiland was mager geweest. Hij had vol-doende noeste werkers meegebracht, maar de meeste men-sen waren heel robuust van bouw geweest. Sierlijke schoonheden waren er niet bij geweest en dat had Yfe sterk ontgoocheld. Ze had amper één meisje geselecteerd en dan nog was dat nauwelijks goed genoeg geweest om te bedienen.

'Ik maak me sterk dat u tevreden zult zijn,' zei Reikon. 'Mag ik u een verfrissing aanbieden?'

Hij wist op voorhand wat haar antwoord zou zijn, maar de beleefdheid eiste dat hij de vraag stelde. Yfe bekeek hem met nauwelijks verholen minachting. Ze maakte een achteloos gebaar naar het schip achter haar.

'Aan boord heb ik alles wat ik nodig heb,' zei ze. 'Ik kom hier om zaken te doen, niet om wat te lanterfanten met mannen die in geen maanden een bad hebben gezien. Breng ons naar de koopwaar!'

'Zoals u verkiest, vrouwe,' zei Reikon met een lichte hoofdknik. 'Ik zal u persoonlijk begeleiden.'

De kleine stoet liet de haven achter zich en bewoog zich door de stoffige vlakte naar het gevangenenkamp. Reikon liep voorop met twintig soldaten, achter hen kwam de selectieploeg en daarachter nog eens twintig soldaten. Ze liepen voorbij het kamp met de mannen, die hen met veel belangstelling aankeken. Vooral Yfe en haar twee begeleidsters maakten grote indruk, maar de vrouwen keurden de mannen geen blik waardig. Ze waren hier enkel om de vrouwen te keuren. De mannen interesseerden Yfe niet.

40.

De boot was helemaal verstevigd en de voorraden werden aan boord gebracht: een grote ton zoet water, tien broden, dadels, vijgen, gedroogd vlees en een pot gepekelde vis. Aangevuld met verse vis die ze onderweg konden vangen, zouden ze het met die proviand een tijd moeten kunnen uitzingen. Niemand wist hoe lang ze zouden moeten varen, maar als ze zuinig waren, konden ze hier wekenlang mee verder. Om zich voor te bereiden op de lange tocht hadden Jari en Thom al vele uren op het bootje doorgebracht. De vissers die de boot onder handen hadden genomen, hadden hun al hun kennis van het zeilen en de zee bijgebracht. De jongens waren er klaar voor.

Ana pakte Jari's handen vast en keek haar zoon lang aan. Haar ogen stonden vol tranen.

'Beloof me dat je voorzichtig bent, jongen. We hebben al te veel mensen moeten afgeven.'

Jari knikte en trok zijn moeder tegen zich aan. Hij voelde hoe tranen zijn stem zouden verstikken en verkoos daarom niets te zeggen. Troostend wreef hij over haar rug en probeerde er niet aan te denken dat dit misschien de allerlaatste keer was dat hij zijn moeder kon omhelzen. Hij liet haar los en kreeg een stevige handdruk van Em.

'Ik ben trots op jou, jongen,' zei zijn vader. 'Je bent onze laatste beschermer. Draag je titel waardig.'

Toen legde Em één hand op Jari's schouder en één hand op die van Thom.

'Draag zorg voor elkaar. Vanaf nu zijn jullie helemaal op elkaar aangewezen. Ik wens jullie beiden de kracht van de Moedersteen. Mogen jullie de anderen vinden en terugbrengen.'

Jari knikte, ook al wist hij dat hij dat niet kon beloven. Hij wilde wel in hun kansen geloven, maar besefte dat die enorm klein waren. Em gaf ook Thom een stevige handdruk.

'Je bent een bijzondere jongen, Thom. Ik ben blij dat jij mijn zoon zult vergezellen.'

'Dank je, Em,' antwoordde Thom. 'We komen terug.'

Hij zei het met een stelligheid die iedereen deed hopen dat het waar was.

'Ik heb je zien aankomen toen je nog niet was geboren, Thom,' zei Vic.

Ze stonden naast de kleine boot. Jari had zijn moeder een laatste keer omhelsd en was al aan boord gegaan. Met de rituele stok van Abu in de hand keek hij toe hoe Thom afscheid nam van Vic.

'Ik zal elke dag naar de grot varen en uitkijken tot je terugkomt.'

De jongen en de man pakten elkaars onderarmen vast.

'Pas op voor de krabben,' glimlachte Thom. 'Ze kunnen venijnig bijten.'

'Goed dat je me daarvoor waarschuwt. Ik had geen idee.'

Vic grijnsde. Het was beter met een glimlach uit elkaar te gaan dan om zijn bezorgdheid mee te geven.

'Het ga jullie goed, Thom.'

'Dank je. Tot ziens.'

Thom draaide zich om, liep het water in en hees zich in het bootje. Acht oude eilanders waadden de branding in en duwden de enige twee overgebleven jonge mannen van zich af, een onbekende horizon tegemoet. Het was een vreemd gezicht.

Thom en Jari bleven kijken tot de mensen op het eiland niet meer waren dan kleine stipjes. De wind voerde hen weg van de enige wereld die ze kenden, het onbekende tegemoet. Water klotste tegen de kleine boot, de diepte onder hen was onpeilbaar.

41.

Bevelen werden heen en weer geschreeuwd en de vrouwen wisten wat van hen verwacht werd. Zonder dralen stelden ze zich op in vier rijen. Moeders hielden hun dochters bij de hand, bang dat ze gescheiden zouden worden. Enea's hart bonsde. Ze stond in de tweede rij als voorlaatste. Dit werd een heel belangrijk moment; haar toekomst zou nu bepaald worden. Ze deed een vruchteloze poging om de kreukels in haar rok glad te strijken.

De soldaten stelden zich op langs de angstig kijkende vrouwen, als een levende omheining waar niemand door kon. Reikon stond centraal voor de rijen en keek de vrouwen hooghartig aan. Hij was zich sterk bewust van zijn absolute macht over hen. Links van hem gingen de vier eunuchen staan, samen met twee van Yfes wachters. Yfe zelf, de twee vrouwen die haar begeleidden en de twee overige wachters liepen langs de rijen.

De spanning was te snijden; het leek wel alsof elke vrouw en elk meisje de adem inhield, bang afwachtend wat zou komen. Aan de ene kant wilde ieder van hen gekozen worden, maar niemand wist waarvoor de selectie diende. Ze konden alleen maar voortgaan op de woorden van Reikon, die had laten doorschijnen dat geselecteerd worden een belangrijk voordeel met zich meebracht.

Met de gratie van een koningin, gevolgd door haar twee hofdames en twee lijfwachten, schreed Yfe langs de rijen. De vrouwen keken haar gespannen aan vanuit hun ooghoeken, maar durfden hun hoofden niet te bewegen, uit angst een verkeerd signaal te geven, hoewel niemand er ook maar enig idee van had wat dan wel het juiste signaal mocht zijn. Yfe bekeek de gevangenen vanuit de hoogte, het was duidelijk dat ze haar koud lieten. Gevoelens voor deze vrouwen had ze niet; ze waren handelswaar, niet meer, niet minder. Hier en daar hield ze halt en bekeek ze iemand met meer aandacht. Ze tilde een hoofd op bij de kin, liet haar hand door haren gaan en voelde aan rondingen. Heel af en toe tuitte ze goedkeurend haar lippen. Wanneer dat gebeurde, nam een van de vrouwen van haar gevolg de gekozen vrouw bij de arm en bracht haar naar de eunuchen. Alles gebeurde in een doodse stilte.

Reikon sloeg het gebeuren zwijgend gade. Uiterlijk was aan hem niets te zien, maar hij was nerveus. Yfe betaalde goed geld voor een slavin en hij mocht alles houden. De Skyrth had er immers baat bij dat Yfe goed boerde. Zij was de laatste die de sekte iets in de weg wilde leggen. Zijn zenuwen namen af en zijn opwinding steeg toen de vijfde vrouw naar de eunuchen werd gebracht. Ze had de eerste rij zelfs nog niet afgewerkt. De lading beviel Yfe duidelijk. Ze zou tevreden zijn en goed betalen. Reikon hoorde de goudstukken al rinkelen.

Yfe bleef staan voor een jong meisje met lange blonde haren die in een slordige vlecht over haar linkerschouder hingen. Met haar wijsvinger duwde ze de kin van het meisje omhoog.

'Niet slecht,' mompelde Yfe, terwijl ze met haar duim de wang van het meisje streelde. 'Je hebt een zachte huid.'

Met haar linkerhand betastte Yfe de borsten van het meisje. Het kind uitte een droge snik en wilde terugtrekken, maar de dwingende blik van de rijzige vrouw hield haar tegen. Yfe liet haar hand langzaam over de nog prille rondingen van het meisje gaan. Bijna teder veegde ze de traan weg die langs de wang van het meisje rolde, en ze tuitte haar lippen. Het meisje werd uit de rij getrokken. Ze riep om haar moeder. Onbewogen liep Yfe verder, de moeder van het meisje keek ze niet langer dan een seconde aan.

'Laat me met haar meegaan,' smeekte de vrouw. 'Haal ons niet uit elkaar. Ze is alles wat ik nog heb!'

'Mama, help me!'

De kreet van het meisje klonk hartverscheurend en haar moeder kon zich niet meer bedwingen.

'Ik smeek u, laat me bij haar blijven!' jammerde ze, terwijl ze uit de rij sprong en Yfe bij de arm greep.

Yfe draaide zich om en sloeg de vrouw van zich af. De moeder van het meisje gaf zich niet gewonnen, krabbelde overeind en wilde Yfe aanvliegen. Voor ze Yfe bereikte, werden haar ogen groot en sperde ze haar mond wijd open. De schreeuw van de dochter was hard genoeg om over het hele eiland te weerklinken. De moeder zakte in elkaar toen de wachter zijn zwaard uit haar rug trok. Het gillende meisje spartelde wat ze kon en de vrouw die haar naar de geselecteerden moest brengen, kon haar niet meer houden. Twee wachters snelden toe om het meisje van haar over te pakken.

Reikon keek bewegingloos toe naar het drama dat zich voor zijn ogen voltrok. De dood van de vrouw deed hem niets, het hartverscheurende huilen van haar dochter ook niet, maar hij hield er niet van dat iemand anders besliste over leven en dood van zijn gevangenen. Maar Yfe kon hij nu eenmaal niet voor de voeten lopen. Hij moest haar wel laten begaan.

Enea zag alles met afgrijzen gebeuren. Ze beet op haar tong om niet te gillen, een reactie die niet alle vrouwen konden tegenhouden. Vrouwen of mannen, in de wereld waarin ze was terechtgekomen, waren ze allemaal even wreed. Plotseling was ze er helemaal niet meer zeker van of het wel zo wenselijk was door die vrouw gekozen te worden. Ze betastte de vlecht die bijna tot haar billen reikte en wenste dat ze minder moeite had gedaan om zich mooi te maken. Het selectieproces ging verder in een ijzige stilte, slechts verstoord door het snikken van het ontroostbare meisje. Het incident had Yfe niet van haar stuk gebracht. Met een emotieloze precisie ging ze verder met het keuren van de handelswaar. Hier en daar gaf ze met getuite lippen aan dat ze nog een geschikte kandidaat had gevonden.

Bij Enea bleef ze staan. Enea keek naar de grond en liet haar blik rusten op Yfes in korte laarsjes gestoken voeten. De hand van de vrouw pakte haar kin vast en dwong haar hoofd omhoog. De doordringende blik boorde zich in die van Enea en ze voelde zich helemaal overgeleverd aan de wil van die donkere, bijna zwarte ogen. Ze voelde de hand op haar rug en de vrouw glimlachte bijna toen ze met haar hand Enea's vlecht streelde. Met beide handen voelde ze aan haar heupen en kneep er zacht in, alsof ze de breedte mat. Ze keurde de stevigheid van haar billen en de zachtheid van haar borsten en al die tijd hield ze Enea gevangen met haar priemende blik. Ze bewoog haar mond in een geluidloze goedkeuring en tuitte haar lippen. Enea werd uit de rij gehaald.

Toen de keuring voorbij was, stond Enea met negenendertig andere meisjes en vrouwen afgezonderd van de rest van de gevangenen. Ze zag hoe Reikon met een brede glimlach iets zei tegen de vrouw die de selectie had gemaakt. De vrouw antwoordde en maakte een gebaar met haar hand.

'We gaan!' zei Reikon luid.

42.

De soldaten keken strak voor zich uit terwijl de veertig
vrouwen een voor een over de loopplank liepen en aan boord
van de tweemaster gingen. Geen van de eilandvrouwen had
ooit zo'n groot schip gezien. Ze waren langs het kamp van
de mannen gelopen, maar niemand had iets durven te
zeggen of te roepen. De brutale moord stond hun nog
allemaal vers voor de geest. Sommigen lieten hun tranen
de vrije loop toen ze van hun mannen wegliepen.

Aan boord moesten ze langs een gespierde man met ont-
bloot bovenlichaam en een donkerbruine, katoenen broek
tot halfweg zijn kuiten. In zijn rechterhand hield hij een
opgerolde zweep met lederen handvat. Een loopplank van
ongeveer een meter breed liep tussen twee rijen aan riemen
vastgeketende roeiers. Bang en onzeker liepen de vrouwen
tussen de wellustig kijkende mannen door naar de boeg van
het schip, waar zich een groot platform bevond dat over-
dekt was met een zeildoek. Een van de roeiers greep naar de
enkel van een meisje dat hem passeerde. Het meisje slaakte
een gil. Bijna gelijktijdig klonk het venijnige klakken van
een zweep. De man uitte een kreet van pijn en kromp in
elkaar. Een bloederige streep op zijn schouder gaf aan waar
de zweep van de opzichter hem had geraakt.

'Dit is geen vlees voor jullie, stelletje ongedierte!' brulde de kleerkast.

Met een duivels genoegen liet hij zijn zweep een tweede keer op de man neerkomen. De anderen waren gewaarschuwd. Enea zag alles gebeuren en moest moeite doen om niet over te geven. Er leek geen einde te komen aan het geweld dat haar leven was binnengedrongen. Wanhopig probeerde ze de opwellende tranen terug te dringen, alsof eraan toegeven het laatste stukje van haar weerstand zou breken. Haar leven was voorbij, dat was het enige wat voortdurend door haar hoofd schoot. Ze zou haar eiland nooit weerzien. Veel vrouwen konden geen kracht meer opbrengen en liepen snikkend over de loopplank. Ze braken… letterlijk. Reikon en zijn mannen hadden niet alleen hun eiland leeggeroofd, maar ook alle overlevenden gedood voor ze ophielden met ademen.

Nog voor de trossen werden gelost, kwamen twee andere schepen de kleine haven binnenvaren. Op de kade kwamen karren aan, getrokken door pony's, waarop onder beschermende doeken de grote amethistkristallen lagen. Onder het toeziend oog van Reikon werden bevelen geschreeuwd. Genoegzaam woog hij de geldbuidel in zijn hand. Aan deze raid had hij meer verdiend dan hij ooit had durven hopen. Yfe was uitzonderlijk tevreden geweest en iedereen wist dat ze goed betaalde als alles naar haar zin was. Zelf zou ze haar uitgaven natuurlijk dubbel en dik terugverdienen. Naast een uitzonderlijke schoonheid bezat ze ook een superieur zakelijk talent. Reikon glimlachte: een goede verkoop van slavinnen, twaalf intacte kristallen en een groot aantal sterke werkkrachten voor de Skyrth. Het leven kon echt mooi zijn.

'Luister allemaal naar mij!'
Yfe torende hoog uit boven de vrouwen en meisjes die als bange wezels tegen elkaar aangedrukt op het platform zaten.
'Mijn naam is Yfe. Vanaf nu behoren jullie mij toe en zullen jullie doen wat ik zeg. Om te beginnen wil ik dat jullie ophouden met dit zielige vertoon. Ik heb goed geld betaald voor ieder van jullie en met een stelletje jankende meiden kan ik niets beginnen.'
Met haar priemende, donkere blik keek ze het gezelschap rond, alsof ze hen zo kon dwingen op te houden met huilen. Het gesnik verstomde. De angst die Yfe als een wapen hanteerde deed zijn werk. Enea kneep in de hand van het blonde meisje wier moeder net was gedood en probeerde haar zo wat van haar eigen minieme kracht te geven.
'Ik heb jullie uitgekozen omdat ik iets in jullie zie: schoonheid, kracht, vruchtbaarheid. Bij velen onder jullie zal er heel wat werk zijn om die kwaliteiten naar boven te halen, maar daar heb ik mijn methodes en mijn mensen voor. Zolang jullie doen wat jullie opgedragen wordt, zullen jullie het goed hebben. Jullie worden goed behandeld en jullie zullen gevrijwaard blijven van geweld en mishandeling.

Voor mij vertegenwoordigen jullie een zekere waarde. Wie mijn investering probeert teniet te doen, zal kennismaken met mijn woede. Wie niet luistert, brengt automatisch mijn investering in gevaar. Deze waarschuwing geef ik maar één keer. Vergeet ze niet… nooit.'

Yfe keek naar het meisje dat nu tegen Enea aanleunde.

'Jij daar, meisje. Hoe heet je?'

'Byrthe,' klonk het zachtjes.

'Hoe oud ben je?'

'Veertien.'

'Vanaf vandaag ben je een vrouw. Je moeder is weg, voorgoed. Vergeet haar.'

De tranen rolden ongehinderd langs Byrthes wangen. Haar lichaam schokte, maar ze maakte geen geluid.

'Vandaag zal ik je tranen nog tolereren,' zei Yfe, 'morgen niet meer.'

Haar blik liet de ogen van het meisje los.

'Jullie krijgen zuiver water. Drink ervan. Het is goed voor jullie huid en jullie lichaam. Het is belangrijk dat jullie gezond blijven.'

Yfe draaide zich om en ging met haar twee mooie dienaressen wat verder op een apart platform op kussens zitten. De eunuchen kwamen rond met bekers en stenen kruiken met fris, helder water.

43.

Thom staarde voor zich uit. Het kleine zeil stond bol en hij hield het roer los in zijn hand. De kaart had hij overgetekend op een vel perkament, hoewel hij elk detail in zijn hoofd had geprent. Hij wist precies welke richting ze moesten aanhouden. Jari kwam naast hem zitten en keek zwijgend uit over het onmetelijke water. Overal om hen heen was er niets anders dan water, zover het oog kon zien. Het leek alsof ze de enige levende wezens waren in een ondergelopen wereld.

'Denk je aan haar?' vroeg Jari zacht.

Thom bleef voor zich uitstaren en deed alsof hij de vraag niet had gehoord. Hij slikte.

'Ik heb jullie gezien. Jou en Enea, op het feest.'

Thom draaide zich even naar Jari en keek toen weer voor zich uit. Jari legde een hand op zijn dij en kneep er zacht in.

'Het is oké, Thom. Ik begrijp het. Enea was... ze is een fantastisch meisje.'

Thom keek Jari aan en legde zijn hand op de hand die op zijn dij rustte. Zijn ogen waren vochtig.

'We zullen haar vinden,' zei Jari. 'We zullen zoeken tot we haar vinden.'

Enea zag het water tussen het schip en het land steeds kleiner worden. Ze keek de andere kant op en dacht aan haar thuisland, daar ergens midden in die oneindigheid van water. Haar ouders waren achtergebleven. Voor zover ze wist, waren ze ongedeerd, maar ze zouden doodongerust zijn over haar. In gedachten gaf ze hun een afscheidszoen; ze was realistisch genoeg om te beseffen dat ze hen nooit zou weerzien. Toen gingen haar gedachten uit naar Thom... en naar Jari. Vreemd genoeg kon ze hen in haar geest niet op het eiland plaatsen. Ze zag hen, omgeven door water.

'Ik had je graag langer gekend, Thom,' fluisterde ze voor zich uit. 'Ik denk dat ik van je had kunnen houden.'

Een zachte bries stak op en voerde haar woorden mee, ver de zee op.